비문학

국어
만권

김미성
신지연
오요한
전보영
엮음

중1 비문학

창비

# '국어 한 권'을 펴내며

중학교 국어 교사는 종종 이런 질문을 받습니다.

"중학교 가기 전에 어떻게 준비하면 좋을까요?"

"국어 공부 잘하는 방법 좀 알려주세요."

이러한 질문에 대한 답은 언제나 '책 읽기'지요. 사람들은 뻔한 대답에 실망스러운 표정을 짓기도 하지만 어쩔 수 없습니다. 그러다 보면 다음과 같은 대화가 이어지기도 합니다.

"그럼 무슨 책을 읽어야 하나요?"

"어떤 책이든 상관없어요. 관심 있는 책부터 읽어 보세요."

"관심 있는 게 없으면요?"

"그렇다면 국어 교과서에 있는 글부터 읽어 보세요."

"네? 교과서를 읽으라고요?"

이 말을 들으면 이해가 안 된다는 표정을 짓는 분들이 있더군요. 하지만 교과서는 매우 정교하고 체계적인 과정에 따라 만들어집니다. 특히 국어 교과서를 만드는 수백 명의 선생님들은 학생들의 눈높이와 흥미를 고려하여 수록될 작품을 꼼꼼하게 검토하고 고른답니다. 그러니 중학교 1학년 국어 교과서에는 중1 학생들이 읽기에 적합하면서 학습에도 도움이 되는, 질 좋은 읽을거리가 담겨 있다고 보면 됩니다.

또한 수록작은 문해력, 표현력 등 중요한 국어 능력을 키우려는 명확한 의도 아래 선정되므로, 그 의도를 알아 둔다면 작품을 훨씬 수월하게 이해할 수 있답니다. 가뜩이나 교과목이 늘어나 부담이 커진 중학교 1학년 학생에게 숨통이 트일 만한 이야기가 아닐 수 없습니다. 이토록 효율적인 독서라니, 왜 국어 교과서부터 읽으라고 했는지 이제 이해가 되나요?

2025년, 중학교 1학년을 시작으로 새 교육과정에 맞춰 개발된 교과서가 쓰입니다. 2026년에는 1학년과 2학년이, 2027년에는 중학교 전 학년이 새 교과서로 공부하게 되지요. 그렇다면 바뀌는 국어 교과서는 이전과 어떤 점이 다를까요?

먼저 국어과 교육과정의 여섯 가지 역량(비판적·창의적 사고 역량, 디지털·미디어 역량, 의사소통 역량, 공동체·대인 관계 역량, 문화 향유 역량, 자기 성찰·계발 역량)을 기르기 위한 성취기준이 달라졌습니다. 성취기준이란 교과서를 학습한 결과 학생이 궁극적으로 할 수 있거나 할 수 있기를 기대하는 도달점을 뜻합니다. 교과서에서 '학습 목표'를 본 적 있지요? 이 학습 목표도 바로 성취기준을 바탕으로 짜인 것이랍니다. 교과서 속 작품과 활동은 모두 성취기준을 고려해 구성되는데, 이 성취기준이 달라지니 교과서의 전반적인 내용도 달라지는 것이지요.

개정된 교육과정에 따라 새로 개발된 10종의 국어 교과서는 서로 다른 글과 활동을 제시하고 있습니다. 그렇다면 우리 학교에서 배우는 교과서만 읽어도 충분할까요? 같은 성취기준을 바탕으로 10종의 교과서가 각각 어떤 작품을 선택했을지 궁금하지 않은가요?

이러한 고민과 호기심을 해결하기 위해 창비교육의 '국어 한 권'이 탄생했습니다. '국어 한 권'은 10종의 중학교 국어 교과서에 실린 문학, 비문학 작품을 선별하여 한 학년당 문학 1권, 비문학 1권으로 구성했답니다. '국어 한 권' 시리즈의 특징을 좀 더 알아볼까요?

- 10종의 국어 교과서에 실린 문학과 비문학 작품을 각각 1권에 담아 효율적으로 독서할 수 있도록 만들었습니다.
- 2022 개정 교육과정 교과서 편찬에 참여한 현직 국어 교사들이 직접 만들어 현장성과 전문성을 높였습니다.
- 교과서에 반영된 성취기준을 바탕으로 목차를 구성하고 작품을 선별하여 깊이 있게 이해할 수 있도록 했습니다.
- 작품마다 성취 수준을 확인할 수 있는 활동을 제시해 성취기준을 이해하기 쉽도록 도왔습니다.
- '수능 맛보기'를 추가해 중학생들이 수능에 대해 느끼는 막연한 호기심과 불안을 해소할 수 있게 했습니다.

새로운 학교생활이 서툴고 어려움이 있더라도 여러분은 충분히 잘해 나갈 수 있을 거예요. '국어 한 권'을 읽으며 세상을 살아가는 데 유용한 지식과 정보, 무엇이든 도전할 수 있는 용기와 힘을 얻어 보시겠어요? 그렇게 차근차근 해 나가다 보면 어느새 부쩍 성장한 자신을 발견할 수 있을 것입니다. 여러분의 멋진 중학교 1학년을 응원합니다.

2024년 가을
엮은이 **김미성 신지연 오요한 전보영**

# '국어 한 권' 속 성취기준, 함께 살펴볼까요?

'국어 한 권'은 2022 개정 교육과정 국어과 성취기준 중
**문학, 읽기** 영역을 기준으로 구성되었습니다.

## 비문학 편

| 영역 | 성취기준 | 『국어 한 권: 중1 비문학』 차례 |
|---|---|---|
| 읽기 | 읽기의 목적과 글의 구조를 고려하며 글을 효과적으로 **요약**한다. | **1부**<br>간추리고 정리하며:<br>**요약** |
| | 독자의 배경지식과 글에 나타난 정보 등을 활용하여 글에 드러나지 않은 의도나 관점을 **추론**하며 읽는다. | **2부**<br>숨은 의미 발견하기:<br>**추론** |

## 문학 편

| 영역 | 성취기준 | 『국어 한 권: 중1 문학』 차례 |
|---|---|---|
| 문학 | 운율, 비유, 상징의 특성과 효과에 유의하며 작품을 감상하고 창작한다. | **1부**<br>문학에 담긴 표현:<br>운율·비유·상징 |
| | 인간의 성장을 다룬 작품을 읽으며 문학의 가치를 내면화한다. | **2부**<br>함께 자라는 우리:<br>성장 |
| | 갈등의 진행과 해결 과정을 파악하여 작품을 감상한다. | **3부**<br>부딪히고 얽히며:<br>갈등 |

# 차례

# 1부

## 간추리고 정리하며

# 요약

# 들어가며

 더, 더, 간결하게! 유튜브 쇼츠, 인스타그램 릴스, 틱톡처럼 짧고 명료한 콘텐츠가 익숙한 우리들. 눈 깜짝하는 순간에 모든 내용을 담고 싶은 우리에게 필요한 것은 바로 **요약** 능력이죠. 내용을 잘 요약하면 기억하기도 쉽고 다른 사람들에게 내용을 체계적으로 전달하기에도 좋아요. 길고 복잡한 글도 잘 요약하면 글에 담긴 중요한 정보만 간략하게 전달할 수 있으니까요.

 요약하기란 글의 중심 내용을 간추려 정리하는 활동을 말해요. 같은 글을 읽어도 목적에 따라 필요한 정보가 다를 수 있어요. 따라서 우리는 글을 읽는 목적을 생각하며 이를 중심으로 내용을 요약해야 하지요. 그리고 '처음-중간-끝'처럼 글의 구조에 따라 표를 그리는 등 내용을 시각화하여 정리하는 것도 효율적이에요. 또, 글의 내용 전개 방식을 고려하며 요약할 수도 있어요. 인과 구조라면 사건의 원인과 결과를 중심으로, 문제-해결 구조라면 문제와 그 해결 방안을 중심으로, 그리고 비교-대조 구조라면 대상의 차이점과 공통점을 중심으로, 나열 구조라면 핵심 개념을 중심으로 요약하는 것이 좋습니다.

그렇다면 요약할 때에는 어떤 방법을 사용할 수 있을까요? 요약하기 방법에는 선택, 삭제, 일반화, 재구성이 있어요. 구체적으로 살펴볼게요. '선택'은 중심 내용이 뚜렷하게 나타나는 문장을 고르는 것입니다. '삭제'는 반복되거나 불필요한 내용을 지우는 방법이에요. 세부적인 내용이나 되풀이되는 표현, 꾸며 주는 말, 이해를 돕기 위해 든 예시 등은 없앱니다. '일반화'는 구체적인 개념이나 세부 정보를 나타내는 여러 개의 단어를 하나의 말로 묶는 것이에요. 사소하게 나열된 많은 내용들을 아우를 수 있는 단어로 간편히 정리하는 것이지요. 중심 문장이 잘 드러나지 않을 때에는 주요 내용을 바탕으로 새로운 중심 문장을 만드는 '재구성'의 방식을 활용해 요약합니다.

첫째, 읽기 목적이나 글의 구조를 고려하여 요약한다.
둘째, 선택, 삭제, 일반화, 재구성 등의 방법을 활용하여 요약한다.

그럼 이것들을 기억하며 요약하기 실력을 쑥쑥 키워 볼까요?

세계 문화 유산인 고려 대장경(팔만대장경)을 보관하는 건물인 장경판전
에 대한 글입니다. 장경판전의 위치와 구조가 지닌 특성을 생각하며 고려
대장경을 오랜 세월 동안 지킬 수 있었던 비결을 요약해 봅시다.

# 장경판전의 과학적 구조

박상국

장경판전은 고려 대장경을 보관하고 있는 건물로 만들어
진 지 760년이 지났어요. 고려 대장경이 아무리 훌륭한 문
화재라도 제대로 보존되지 않았다면 지금에 와서 그 가치를
제대로 평가받기는 어려웠을 거예요. 하지만 고려 사람들이
치밀한 계산을 하고 건물을 지은 덕분에 고려 대장경은 오
랜 세월을 무사히 지냈어요.

해인사의 가장 깊숙한 곳에 자리하고 있는 장경판전은 모
두 4채의 건물로 이루어져 있어요. 겉에서 보면 아무 특징
이 없어 보이지만 그 안에는 오랜 세월을 이기고 보물을 지
킨 우리 조상들의 지혜와 솜씨가 담겨 있어요. 지금부터 장
경판전을 잘 둘러보고 각 건물의 이름은 무엇이며, 어떤 과
학적 구조가 숨어 있는지 살펴보아요.

### 장경판전의 건물들

장경판전은 해인사 가장 깊숙한 곳에 자리 잡고 있어요. 모두 4채의 건물로 이루어져 있고 장경판전은 서남향을 바라보고 있어요. 화강암을 주춧돌로 놓고 그 위에 °배흘림기둥을 세웠어요. 이 기둥은 지붕으로 바로 이어지고, 지붕은 4개의 면으로 된 우진각 지붕을 얹었어요.

**해인사 장경판전의 전경**

고려 대장경판을 보관하고 있는 수다라장과 법보전은 폭이 15칸, 길이가 60미터나 되는 긴 건물로 두 채가 서로 마주 보고 있어요. 두 건물의 양 끝 사이에는 폭이 2칸, 길이가 7.5미터인 동·서 사간고가 있지요. 이 건물들도 고려 °각판

---

• 배흘림기둥: 기둥 중간 부분의 배가 약간 부르도록 모양을 낸 기둥.

• 각판: 그림이나 글씨를 새기는 데 쓰는 널빤지 조각.

을 보관하고 있는 판전이에요. 4개의 건물 모두 커다란 살창을 달아 통풍과 채광이 잘 되도록 설계했어요.

장경판전은 고려 대장경의 보관 기술을 살려 지은 점을 인정받아 1995년 세계 문화 유산으로 등재되었어요.

자, 그럼 지금부터 장경판전의 건물들을 하나하나 둘러볼까요?

'팔만대장경'이라는 *현판이 붙은 장경판전의 문을 들어서면 수다라장이 나와요. 현판의 '수다라(修多羅)'는 불교 경전을 의미하는 산스크리트어인 '수트라(sūtra)'의 한자 표현이에요. 경전을 보관하고 있는 곳이라는 뜻이지요. 수다라장의 입구는 문이 동그랗다고 해서 월문이라고도 해요. 월문 안으로 들어가면 오른쪽에 *경판이 보관돼 있는 판가로 들어가는 문이 있어요. 판가의 벽은 안이 훤히 들여다보이는 살창이어서 판가 내부를 볼 수 있어요. 판가 안에는 판가꽂이가 늘어서 있고 그 안에 경판들이 차곡차곡 꽂혀 있어요. 그 모습이 마치 책을 가득 꽂아 둔 도서관 같아요.

수다라장의 뒷문을 지나 장경판전 마당으로 나오면 마주 보고 있는 건물이 바로 법보전이에요. 수다라장과 법보전은 크기가 같은 건물이에요. 정면 15칸, 측면 2칸으로 된 큰 건물이에요. 마주 보는 두 건물은 기둥의 개수도 같고 크기도

---

• 현판: 절이나 누각 등의 문 위나 처마 아래에 걸어 두는 글자나 그림을 새긴 나무판.

• 경판: 간행하기 위하여 나무나 금속에 불경을 새긴 판.

법보전 판가 입구

같지요.

 '법보(法寶)'는 '대장경'을 뜻하는 말이에요. 그래서 법보전은 경판을 보관하고 있는 건물이라는 말이지요. 법보전에는 법당이 있는데, 이곳에 석가모니 불상이 있고 하루 3번 예불을 올려요.

 법보전 법당 문 양옆을 한번 볼까요? 작은 문이 보일 거예요. 이 문이 바로 법보전의 판가로 들어가는 문이에요.

 이제 수다라장과 법보전의 창문을 한번 살펴볼까요? 보통 전통 건축물의 창문에는 창호지가 발려 있어요. 하지만 장경판전의 문은 기다란 살만 달린 살창문이에요. 바로 이 점 때문에 채광과 환기를 도와 나무로 된 경판을 잘 보관할 수 있었습니다.

수다라장과 법보전의 양옆을 보면 동·서 사간고가 있어요. 법보전을 앞에 두고 보았을 때 왼쪽에 서 사간고가 있고, 오른쪽에는 동 사간고가 있어요. 정면 2칸, 측면 1칸의 작은 건물로 서로 마주 보고 있으며 크기나 겉모습이 쌍둥이처럼 똑같아요.

동·서 사간고는 고려 시대 사찰에서 간행한 사간판과 조선 시대 간경도감에서 °판각한 것, 일반 사찰에서 새긴 경판들이 보관되어 있어요. 이곳도 경판을 보관하고 있는 판전이기 때문에, 앞쪽의 벽을 출입할 수 있는 문을 제외하고는 살창으로 만들어서 환기가 잘 되도록 했어요.

## 햇빛이 잘 들고 바람이 잘 통하고

장경판전은 겉에서 보면 커다란 살창이 있는 것 말고는 특별한 장식이나 장치가 없는 건물이에요. 하지만 이 안에서 760년이 넘도록 고려 대장경이 무사히 보관되어 있었어요. 특별한 장치 하나 없이 고려 대장경을 온전하게 지킨 비결이 무엇일까요? 그 비밀은 바로 장경판전의 위치와 구조에 있어요. 그럼, 지금부터 그 비밀을 풀어 볼까요?

첫째, 장경판전은 바람이 잘 통하는 경사지에 서남향을 바라보게 지었어요. 건물을 서남향으로 지으면 해가 동쪽에서 떠서 서쪽으로 지는 동안 햇빛이 들어오는 시간이 길고 건물 앞으로 그림자가 지지 않아요. 원래 장경판전 뒷산에

° 판각하다: 나뭇조각에 그림이나 글씨를 새기다.

서는 습한 바람이 불어오는데 하루 종일 비치는 햇빛이 습기를 날려 주지요. 그래서 장경판전 안에는 습기가 없는 바람이 장경판전의 살창을 통과하여 판가 구석구석의 공기를 순환시켜 주어서 경판이 썩지 않지요.

둘째, 장경판전의 지붕은 진흙으로 구운 기와를 올렸어요. 그런데 왜 진흙으로 구운 기와를 올렸을까요? 비밀은 바로 *열전도율에 있어요. 진흙 기와는 열전도율이 낮아서 온도 변화가 적어서 건물 속의 온도를 일정하게 유지할 수 있고 경판을 보관하기에 알맞지요.

그런데 1955년 이승만 대통령 때 장경판전의 오래된 기와를 벗기고 구리 기와를 얹은 적이 있었어요. 그러자 여러 가지 문제점이 발견되었어요. 그중 하나가 구리의 열전도율이었어요. 구리의 열전도율이 높아서 건물 안의 온도 변화가 커진 것이지요. 그렇게 되면 경판에 이슬이 맺히거나 썩을 수도 있었어요. 그래서 다시 진흙 기와로 바꾸었고, 장경판전은 전처럼 유지되었어요.

셋째, 장경판전은 위아래로 서로 크기가 다른 살창을 갖고 있어요. 수다라장 앞쪽 벽의 창은 위보다 아래 창의 크기가 4배 정도 커요. 또 뒷면은 위의 창이 아래의 창보다 크지요. 사진처럼 창의 크기를 위와 아래, 앞쪽과 뒤쪽을 다르게 하니 공기가 들어와서 곧바로 나가지 않고 안에서 돌게 되어요. 특히 차가운 공기가 아래 창으로 들어와서 안에서 돌다

* 열전도율: 물체 속에서 열이 이동하는 정도를 나타내는 수치.

장경판전 앞쪽 살창            장경판전 뒤쪽 살창

가 더워지면 앞의 큰 창으로 나가는 거지요. 이렇게 해서 판가 구석구석에 공기를 순환시켜 주는 거예요. 바로 이 점이 나무로 된 경판이 오래도록 썩지 않은 비결이에요.

　마지막으로 판가에 바람이 잘 통하도록 만들었어요. 판가는 경판을 꽂아 두는 책꽂이와 같은 것이에요. 일반 책꽂이는 책을 꽂는 앞면만 뚫려 있고 옆과 뒤는 막혀 있지요. 하지만 판가는 막힌 면이 없어요. 굵은 나무로 기둥을 만들고, 가로로도 나무 기둥을 끼웠어요. 그래서 바닥이 막히지 않고 가운데 부분은 뚫려 있지요. 이렇게 사면이 뚫린 판가는 사방으로 공기가 통하기 때문에 경판에 습기가 찰 염려가 없어요. 그리고 각 경판마다 경판보다 두께가 두꺼운 °마구리를 끼워 놓았기 때문에 판가에 꽂은 경판과 경판 사이도 벌어져 있어요. 이 틈으로도 공기가 통하는 것이지요.

° 마구리: 길쭉한 물건의 양쪽 끝. 또는 양 끝에 대는 물건.

이번에는 판가의 맨 아랫면을 한번 볼까요? 판가의 맨 아랫면은 판전의 바닥에서 떨어져 있어요. 그리고 막혀 있지 않고 뚫려 있지요. 이런 판가의 구조 덕분에 맨 바닥부터 꼭대기까지 막히지 않고 공기가 통한답니다.

장경판전을 얼핏 보면 아무런 장치가 없는 간단한 건물처럼 보이기도 하지요. 하지만 간단해 보이는 구조 속에 고려 대장경을 지키는 놀라운 비밀이 숨어 있었던

수다라장 판가

것이에요. 장경판전을 처음 지을 때부터 위치, 온도, 자연현상 등 모든 것을 치밀하게 계산해서 자연을 해치지 않으면서도 잘 이용한 선조들의 지혜에 새삼 놀라게 되지요.

## 언제 장경판전을 지었을까?

고려 대장경판이 만들어진 지 760년이 넘었어요. 그렇다면 장경판전이 지어진 지는 얼마나 되었을까요? 처음 고려 대장경판을 만들었을 때 장경판전을 지었겠지만 지금까지 그 기록은 아무것도 발견되지 않았어요. 다만 수리한 기록, 수리할 때 나온 유물을 보고 그 시기를 짐작해 볼 뿐이에요.

첫 번째 시기는 고려 초기예요. 장경판전에는 고려 대장

경 외에 '고려 각판'이라는 경판이 있어요. 국가적으로 진행된 고려 대장경과 달리 개인이나 절에서 따로 만들어 보관해 온 것이지요. 고려 각판 중에는 고려 대장경 이전에 만들어진 것도 있어, 이를 보관하던 판전은 고려 초기부터 있었을 거라고 짐작할 수도 있어요.

두 번째 시기는 1622년 이전이에요. 1964년 시작한 장경판전 보수 공사 때 수다라장과 법보전의 지붕에서 °묵서와 °상량문이 발견되었어요. 여기에 1622년에는 수다라장을, 1624년에는 법보전을 수리했다는 기록이 있어요. 장경판전과 같은 목조 건물은 서까래와 기와만 바꿔 주면 100년은 거뜬히 견딜 수 있다고 해요. 그렇다면 1622년에 수리했다는 것은 그보다 훨씬 이전에 지어졌을 거라고 짐작할 수 있지요.

세 번째 시기는 조선 전기 이전이에요. 2002년 2월에 장경판전의 바닥을 조사하면서 수다라장 동편 바닥에서 분청사기로 만든 접시나 그릇 같은 도자기 조각이 나왔어요. 분청사기가 실생활에 널리 쓰이기 시작한 것은 조선 전기 때라고 해요. 그래서 장경판전을 지은 때가 조선 전기 이전일 것이라는 추측이 가능하답니다.

네 번째 시기는 조선의 세조 때예요. 조선왕조실록의 『세조실록』을 보면 건물이 비좁아서 장경판전을 수리했다는 기록이 나와요. 대장경을 50벌 인쇄하고 판전은 40칸으로

---

• 묵서: 먹물로 쓴 글씨가 적힌 종이.
• 상량문: 집을 짓거나 고친 과정, 이유와 날짜 등을 쓴 글.

늘렸다고 하니 장경판전의 건축 시기는 그 이전이라고 짐작
할 수 있어요.

장경판전을 언제 지었는지 지금까지 정확한 기록을 알지
못하지만 오랜 세월 동안 여러 가지 위험 속에서 고려 대장
경을 지킨 것만은 참 다행한 일이에요.

「장경판전의 과학적 구조」를 읽고 다음 물음에 답해 봅시다.

1. 다음은 SNS에 올라온 장경판전에 대한 게시물입니다. 이 글의 내용과 다른 해시태그를 골라 봅시다.

장경판전이 있는 곳은 #해인사
장경판전에 보관하는 것은 #고려_대장경
'수다라'의 뜻은 #경전을_만드는_곳
장경판전의 창문은 #창호지_문

2. 다음은 19~22쪽에 실린 '햇빛이 잘 들고 바람이 잘 통하고' 부분을 요약한 글입니다. 밑줄 친 부분에 알맞은 내용을 넣어 요약문을 완성해 봅시다.

장경판전이 고려 대장경을 오랫동안 지킬 수 있었던 것에는 네 가지 비결이 있다.

첫째, 바람이 잘 통하는 경사지에 서남향을 바라보게 지었다.

둘째, 지붕에는 진흙으로 구운 기와를 올렸다.

셋째, _____ .

마지막으로, _____ .

# 짜증 나, 건드리지 마!

하지현

### 준기의 이야기

아침에 눈을 뜨니 오슬오슬 추운 기분이 들었다. 준기는 느낌이 안 좋았다. 목도 칼칼해서 아침밥을 넘기는 게 조금 어려웠다. 아무래도 학교를 안 가는 게 좋을 거 같아서 엄마에게 쉬고 싶다고 말했다. 엄마는 건성으로 손을 이마에 대 보더니 등짝을 때렸다.

"열 없네. 이 정도로 결석하면 안 되지. 빨리 학교 가!"

교실에 들어가 자리에 앉았는데 이제는 열도 느껴졌다. 아무래도 보건실에 가야 할 거 같은데 곧 수업이 시작된다. 포기하고 자리에 앉았다. 수업 시간이 이렇게 길게 느껴진 것은 처음이었다. 쉬는 시간에 책상에 엎드려서 있는데 오늘따라 애들이 너무 떠든다. 이리저리 쏘다니던 민수가 준기의 어깨를 치고 지나갔다.

"야이, 씨! 야! 조심해서 다녀!"

확 돌아보며 민수에게 화를 냈다. 놀란 민수가 말했다.

"아, 미안. 야, 이준기, 근데 뭘 그런 거 가지고 이렇게 화를 내냐? 너 사이코냐?"

"내가 조심해서 다니라고 전부터 몇 번이나 말했냐? 돼지 같은 게."

평소 덩치가 크고 부주의한 민수가 툭툭 건드리고 지나가고는 했다. 그런데 오늘은 견딜 수 없었다. 이제는 참아서는 안 된다는 생각이 확 들었다. 머리로 열이 뻗치는 것 같았고 심장이 쿵쾅쿵쾅 뛰었다. 준기는 주먹을 불쑥 민수에게 들었다. 놀란 다른 애들이 두 사람을 말린 다음에야 준기는 정신이 들었다. 고개를 푹 숙이고 책상에 엎어져서 준기는 생각했다.

'내가 왜 이러지? 별일도 아닌데 짜증이 나네.'


## 참으면 병 된다

아침부터 컨디션이 좋지 않았는데, 학교에서 친구가 실수로 친 일에 평소보다 거칠게 대응하고 말았습니다. 지금 준기가 느끼는 감정은 무엇일까요? 분노, 억울, 짜증? 비슷한 듯 다른 이 세 개의 감정에 대해서 생각해 봅시다.

일단 먼저 화를 내는 것이 꼭 나쁜 것만은 아니라는 걸 말하고 싶어요. 분노는 나를 지켜 주는 기능이 있습니다. 지금 내가 화가 나 있다는 것을 적극적으로 알려서 나를 공격하지 못하게 하고, 내 주변을 지킬 수 있거든요. 어미 개가 강아지를 지키기 위해 으르렁하고 이를 드러내고 짖는 것을 떠올려 보세요. 그 덕분에 사람들은 강아지를 만지지 않고 지나가고 어미 개는 강아지를 지킬 수 있습니다.

이와 같이 화를 내는 것은 내 안의 에너지를 한 번에 분출시키는 것인데, 준기가 툭 치고 지나간 친구를 향해 화를 표현한 것과 같이 분노의 대상과 목표가 분명한 것이 특징입니다. 분노의 감정이 들면 그 대상을 향해 가깝게 다가가게 하고, 원하는 목적을 이루기 위해 에너지를 한껏 분출하도록 하지요. 그래서 화를 한 번 내고 나면 기운이 푹 꺼지는 느낌이 드는 것입니다.

그래서 필요할 때 화를 내는 것은 꾹꾹 참기만 하는 것보다 나아요. 여러 연구를 보면 목적이 있는 분노는 스트레스를 줄여 준다고 합니다. 너무 오래 화를 참고 누르기만 하면 마음의 병이 생기기도 하죠. 할머니들이 "화병이 났어."라고 하는 것은 화를 많이 내서 병에 걸린 게 아니라 너무 오랫동안 화를 참고 표현하지 못해 우울해지고, 눈물이 쉽게 나고, 몸이 아픈 증상이 생긴 것입니다. 그걸 화병이라고 해요.

그렇지만 그 분노는 적절한 곳에, 맞는 대상을 향해, 화가 난 만큼 적당량을 분출해야 합니다. 그런데 그 적당이 참으로 어렵지요. 그래서 미국의 문학가 마크 트웨인(Mark

Twain)은 "분노는 염산과 같다. 산을 뿌리는 대상보다 산을 담고 있는 그릇에 더 큰 해를 끼칠 수 있다."라고 했습니다. 분노는 마치 총알이 장전되어 있는 총과 같아서 제대로 다루지 않으면 도리어 자신에게 위험하지요. 그러니 화를 적절하게 내는 법을 배워야 합니다.

## 분노의 과잉 반응, 짜증

자, 이제 억울함에 대해서 생각해 봅시다. 이것도 화가 나기는 마찬가지예요. 그런데 내가 뭘 잘못한 게 하나도 없는데 혼이 나거나 곤경에 처했을 때 느끼는 것이 바로 억울함입니다. 그래서 화가 나고 답답하죠. 즉, 분노가 생기기는 하는데 어떤 대상이 있다기보다는 그 화가 나는 상황이 핵심입니다. 억울하다는 감정은 결백한 사람이 잘못을 저질렀다고 판정을 받게 된 상황일 때 생기는 거죠.

그렇다면 짜증은 뭘까요? 짜증은 화를 낼 일에 화를 냈지만, 보통 때 같으면 그러지 않았을 상황에 *과민한 반응을 보이는 것을 말합니다. 만일 준기가 열이 나지 않고 컨디션이 좋은 날이었어도 친구가 지나가다 쳤을 때 저렇게 화를 냈을까요? 그러지 않았을 것입니다. 그래서 친구도 당황했던 것이죠. "뭘 그런 걸 가지고 화를 내냐."라고 말을 한 것입니다.

즉, 짜증은 예상했던 것보다 더 심한 분노 반응을 보이는

---

* 과민하다: 작은 일에 지나치게 예민하다.

것입니다. 준기가 지금 자신이 괜히 짜증을 냈다는 것, 이 정도로 주먹을 들 만한 일은 아니라는 것을 금방 알아차렸어요. 그래서 더 민망하고 창피해서 고개를 푹 수그리고 책상에 엎어져 버렸던 것이죠. 하지만 어쩌겠어요, 갑자기 욱하고 반응을 해 버렸는데 말이에요.

흔히 "아, 짜증 나."라고 쉽게 말을 합니다. 그렇지만 이 말은 내가 어떤 상황에서 과잉 반응을 할 것 같을 때 써야 제격입니다. 화를 내는 것, 억울한 것, 그리고 짜증이 나는 것은 이렇게 비슷해 보이나 다른 감정을 표현할 때 쓰는 말입니다.

### 화가 나도 파란불을 기다려

화가 날 일에 그런 상황을 제공한 대상에게 분노를 표현하는 것은, 화를 내는 정도가 적당하다면 할 수 있는 일입니다. 그런데 이왕이면 주먹이 앞서기보다 말로 할 수 있는 것은 말로 했으면 해요. 욕을 하기보다는 "나 이건 참 화가 나. 마음에 들지 않아."라고 내 감정을 분명히 먼저 표현하는 것이 좋습니다. 그렇지만 그게 참 쉽지 않죠. 앞에서 이를 드러내고 으르렁거리는 어미 개의 예를 들었듯이 분노의 표현은 본능적으로 생존을 위해 작동하는 즉각적인 자동 반사와 같거든요.

하지만 우리가 생활하는 환경에서는 어미 개와 같이 바로 달려들어서 으르렁댈 일은 거의 없습니다. 그런데 화를 내야 할 것 같고 왕창 분출해야 할 것 같은 마음이 들 때가 있어요. 화를 확 내고 나중에 후회하는 일이 자꾸 일어난다면, 화를 내기에 앞서서 잠깐 멈추고 하나, 둘, 셋을 세어 봅니다. 그러면서 신호등을 떠올려 보세요. 자동차를 타고 갈 때 빨간불이 켜지면 일단 멈추고 신호가 파란불로 바뀔 때까지 기다려야 하죠. 지금 화가 난 상태는 빨간 신호등이 켜진 상태입니다. 잠시만 생각해 보세요. 지금 내가 내려는 화가 적당한 양인지 아니면 너무 과한 것인지. 길을 무단 횡단하다가 경찰에 잡힌 사람에게 "넌 사형이야!"라고 *구형을 하는 검사가 된 것은 아닌지 말이에요. 아마도 곧, 지금 여기서 적당한 수준은 어느 정도인지, 아니면 이번에는 그냥 넘어가도 될지 깨달을 수 있을 겁니다.

신호등은 곧 파란불로 바뀌어요. 이때 우회전을 할지 직진을 할지, 돌아서서 갈지 우리는 지혜로운 결정을 할 수 있습니다. 이때 표현하는 감정은 자연스러운 일입니다. 이런 순서를 지켜본다면 화를 내는 게 꼭 나쁜 것도, 무서운 것도, 폭주해서 내가 다 망가져 버릴 것만 같은 일도 아니라는 걸 점점 알아 가게 될 거예요. 감정은 이렇게 잘 다스려서 쓸 줄만 안다면 나를 위협으로부터 방어해 줄 뿐 아니라 스스로를 괜찮다고 여기게 만들어 줍니다.

---

* 구형: 검사가 죄지은 사람에게 어떤 벌을 내려 달라고 판사에게 요청하는 것.

## 「짜증 나, 건드리지 마!」를 읽고 다음 물음에 답해 봅시다.

**1.** 다음의 <상황>에서 밑줄 친 감정이 무엇인지 <보기>에서 골라 봅시다.

**상황**

유주가 자리를 비운 사이, 반려견 뽀송이가 탁자를 쳐 탁자 위 우유가 바닥으로 쏟아졌다. 유주의 부모님은 앞뒤 사정은 모른 채 유주만 나무랐다. 유주는 안 좋은 감정이 올라왔다.

**보기**

☐ 분노

☐ 억울

☐ 짜증

**2.** 다음 글에서 세부적인 내용, 반복되는 표현, 수식하는 말, 예로 든 내용을 삭제하여 중심 내용을 한 줄로 요약해 봅시다.

그렇다면 짜증은 뭘까요? 짜증은 화를 낼 일에 화를 냈지만, 보통 때 같으면 그러지 않았을 상황에 과민한 반응을 보이는 것을 말합니다. 만일 준기가 열이 나지 않고 컨디션이 좋은 날이었어도 친구가 지나가다 쳤을 때 저렇게 화를 냈을까요? 그러지 않았을 것입니다. 그래서 친구도 당황했던 것이죠.

즉, 짜증은 예상했던 것보다 더 심한 분노 반응을 보이는 것입니다. 준기가 지금 자신이 괜히 짜증을 냈다는 것, 이 정도로 주먹을 들 만한 일은 아니라는 것을 금방 알아차렸어요. 그래서 더 민망하고 창피해서 고개를 푹 수그리고 책상에 엎어져 버렸던 것이죠.

짜증은 _____.

물건을 많이 판매하기 위해 편의점이 숨겨 둔 다양한 전략을 알아보며 글을 요약해 봅시다.

# 계산대에서: 치열한 마케팅 전쟁이 벌어지는 곳

이창욱

## 왜 편의점은 1+1으로 물건을 팔까

주말 오전 느지막이 일어난 저는 배도 채우고 아이디어도 얻을 겸 동네 편의점으로 내려갑니다. 오늘 아점으로는 뭘 먹을까요? 들어서자마자 계산대 옆 진열장의 컵라면이 눈에 들어옵니다. 그 옆 냉장고에 삼각김밥이 가지런히 정리되어 있군요. 컵라면과 삼각김밥이면 한 끼도 금방 해결하겠는데요?

자연스레 이런 생각을 하게 되는 데에는 편의점의 전략이 숨어 있습니다. 편의점에서는 가장 많이 팔리는 핵심 제품을 소비자들의 시선이 가장 잘 머무는 곳에 두거든요. 들어서자마자 계산대 옆의 컵라면이 눈에 들어온 건 우연이 아닙니다. 삼각김밥은 소비자의 키를 고려해 냉장고에서 바로 찾을 수 있는 높이에 배치합니다. 굳이 발돋움하거나 허리를 굽히지 않아도 쉽게 삼각김밥을 꺼낼 수 있지요. 마찬가지로 도시락도 소비자가 쉽게 찾을 수 있는 계산대 가까이에 위치합니다.

더 나아가, 잘 팔리는 상품은 편의점이 있는 동네에 따라, 계절에 따라 시시각각 달라집니다. 이런 변화에 발 빠르게 대처하는 것이 편의점의 매출을 올리는 방법이겠지요. 그래서 편의점 점주는 시기에 따라 입고되는 물건의 종류와 양을 조절하고, 배치도 다르게 합니다. 그래서 우리는 계절마다 조금씩 달라지는 편의점을 만날 수 있습니다.

하지만 저는 삼각김밥의 유혹에 넘어가지 않고 요구르트 음료를 고르러 건너편 냉장고로 갑니다. 냉장고 한편에 제가 좋아하는 브랜드의 요구르트 음료가 종류별로 모여 있습니다. 1팩에 2,000원인데, 마침 오늘은 2+1 행사를 하고 있네요. 1.4초 고민한 후에 마음을 바꿔 2개를 고릅니다. 그러면 하나를 공짜로 받을 수 있으니 아싸! 땡잡았다!

한두 개를 사면 하나의 물건을 더 주는 1+1, 2+1 행사는 편의점에서 흔히 볼 수 있는 마케팅 전략입니다. 이런 행사는 보통 상품을 제조한 업체에서 편의점과 *제휴를 맺고 진행하는데, 무엇보다 중요한 이유는 제품을 홍보하기 위해서입니다. 편의점 진열장은 비슷한 종류의 여러 제품이 서로

* 제휴: 정치나 경제 분야에서 관계를 맺어 서로 돕는 것.

더 눈에 띄려고 경쟁하는 무대입니다. 이곳에서 인기를 얻는 손쉬운 방법은 1+1 행사로, 소비자 입장에서는 하나를 더 주는 물건에 자연스레 손이 가지요. 그래서 신상품을 홍보하거나 시장 *점유율을 올려야 하는 입장의 제조업체에서 이런 행사를 자주 열게 됩니다.

그런데 1+1 행사는 사실 반값 할인 행사랑 같은 거 아닐까요? 소비자 입장에서는 비슷해 보이더라도, 물건을 판매하는 입장에서 두 행사는 큰 차이가 있습니다. 우선 중요한 차이는, 1+1 행사는 50퍼센트 할인보다 상품 판매량이 2배가 된다는 것입니다. 판매량이 증가할 뿐만 아니라 재고로 쌓인 상품도 소진할 수 있지요. 한 번에 물건을 많이 만들게 되니 물건 하나를 만들 때 드는 비용을 아낄 수도 있습니다. 즉, 제조업체 입장에서 재고가 많이 남은 제품은 1+1 행사를 하는 게 낫고, 재고가 적게 남은 제품은 50퍼센트 할인 행사를 하는 게 더 나을 수도 있습니다. 또, 물건 하나를 만들 때 많은 돈이 드는 제품은 하나를 더 끼워 주는 것보다는 차라리 가격을 할인해서 파는 것이 더 나을 수도 있지요.

고전적인 경제학에서는 사람을 항상 이성적인 존재로 생각하지만, 20세기 후반 들어 경제학자들은 사람이 상상하던 것만큼 똑똑한 존재가 아니라는 사실을 알아차렸습니다. 사람들은 편의점 입구에서 보이는 삼각김밥에 마음을 빼앗기기도 하고, 꼬임에 넘어가 물건을 필요한 양보다 더 많이

* 점유율: 물건이나 자리 같은 것이 차지하고 있는 비율.

사기도 합니다. 이처럼 실제 인간의 심리와 행동을 경제학에 도입한 학문이 '행동 경제학'입니다. 편의점 여기저기에는 손님들이 조금이라도 더 많은 물건을 사도록 만들기 위한 행동 경제학의 여러 전략이 녹아 있지요. 여하튼, 저는 요구르트 2+1개를 안고 계산대로 갑니다. 원래 계획보다 요구르트를 3배 많이 샀지만 괜찮습니다. 왜냐하면 첫째로 할인된 가격에 요구르트를 산 것 같아 기분이 좋고, 둘째로 저는 완벽히 이성적인 존재가 아니기 때문이죠.

## 물건을 사려면 거쳐야 하는 바코드와 포스

콜라와 초콜릿, 젤리, 감자칩, 아이스크림 등 수많은 유혹을 이겨 내고(명심하시오! 이 유혹들도 모두 편의점의 마케팅 전략이거늘!) 마침내 계산대에 도착한 저는 요구르트를 올려놓습니다. 계산은 겨우 10초도 안 걸리는 간단한 과정이지만, 편의점 입장에서는 매우 중요한 단계입니다. 들여놓은 물건이 매출이 되는 순간이고, 어떤 물건이 팔리는지 확인할 수도 있으니까요. 예전에는 복잡했던 이 작업을 간소하게 만들어 준 발명이 '바코드'와 '포스'입니다.

바코드는 물건 포장에 찍혀 있는 검은색과 흰색 줄무늬입니다. 추상적으로 아무렇게나 그려진 것 같지만, 이 줄무늬에는 제품 정보가 담겨 있습니다. 편의점 점원이 '바코드 리더'라 불리는 레이저 판독기로 요구르트 옆면의 바코드를 찍으면, 검은색 줄은 빛을 흡수하고 흰색 줄은 빛을 반사해 판독기로 돌려보냅니다. 흰색 줄의 굵기에 따라 빛의 양이 달라지는데, 컴퓨터는 이 빛 신호를 이진법으로 해석하여 숫자로 판독합니다.

바코드가 제 기능을 하려면 판독한 숫자를 제품 정보로 해석해 줄 기계가 필요합니다. 이 기계가 바로 포스 단말기입니다. 편의점은 물론이고 식당이나 카페 등 다양한 매장의 계산대에 세워진 컴퓨터처럼 생긴 기계를 봤을 거예요. 포스(POS)는 원래 'Point of Sale'의 준말로, 식당이나 편의점 등의 매장에서 실시간으로 물건이 얼마나 팔렸는지, 재고는 얼마나 남았는지를 알려 주는 시스템이지요. 바코드에서 입력된 정보에 따라 물건의 종류, 가격 등의 정보를 표시해 줄 수 있지요. 아르바이트생은 포스 단말기 화면을 통해 요구르트가 2+1 상품인지, 결제는 어떤 방식으로 진행할지 확인하고 결제를 마칩니다. 이제 이 요구르트는 제 겁니다.

결제는 끝이지만, 편의점의 입장에서는 이 결제가 판매 정보를 모으는 시작 단계입니다. 어디서든 보이지만, 바코드와 포스가 널리 사용된 것은 그리 오래되지 않았습니다. 바코드는 1952년에 특허를 받았는데, 1974년에야 실제로 쓰이기 시작했습니다. 포스 시스템은 1972년 미국에서 개발된 후 세계 곳곳으로 퍼졌지요. 다양한 시행착오를 거쳐야 했지만, 포스 시스템과 바코드는 각각 유통 혁명을 일으키고 있다는 평가를 받을 정도로 획기적인 시스템이었습니다. 그중에서도 핵심은 이런 기계들을 통해 고객들이 사는 물건의 데이터를 수집하고 분석하기 훨씬 쉬워졌다는 사실입니다.

## 사는 물건 하나하나가 편의점의 전략이 되는 시대

아까 삼각김밥과 컵라면처럼 잘 팔리는 편의점 제품들은 고객이 보기 쉬운 위치에 진열해 둔다고 했습니다. 이런 판매 전략을 성공적으로 세우려면 먼저, 소비자들이 어떤 물건을 많이 사는지 데이터가 필요합니다. 하지만 편의점 업주들이 데이터를 분석하기는 쉽지 않습니다. 데이터를 전문적으로 분석하는 사람들이 필요하지요. 최근 주요 편의점 업계는 각 °가맹점에서 수집되는 °빅 데이터 분석 팀을 만들어 편의점 경영에 적극적으로 활용하고 있습니다. 데이터를 잘만 분석하면 예전에는 생각하지도 못한 질문에 대답할 수 있고, 그에 따른 마케팅 전략을 세울 수도 있지요.

문제를 하나 내 볼게요. 설 연휴에 가장 많이 팔리는 제품이 무엇일까요? 최근 CU 편의점을 운영하는 BGF 리테일이 매출 데이터를 분석해 보니 편의점의 입지에 따라 명절 주간 매출이 급증하는 상품이 각각 달랐습니다. 가족이 모이는 주택가에서는 화투와 카드가 전주보다 405.8퍼센트나 상승했습니다. 데면데면한 친척끼리 모여 놀기에는 이만

● 가맹점: 어떤 조직의 동맹 따위에 든 가게나 상점.
● 빅 데이터: 기존 데이터베이스로는 수집·저장·분석 따위를 하기 어려울 만큼 방대한 양의 데이터.

한 보드게임이 없다는 뜻이겠지요. 집으로 내려가는 귀성객이 몰리는 터미널 편의점에서는 충전기나 이어폰 같은 휴대전화 용품의 매출이 무려 881.8퍼센트나 상승했습니다. 세상에 충전기를 깜빡하는 사람이(저 말고도) 이렇게나 많다는 뜻이죠. 다른 질문입니다. 겨울이면 나오는 호빵과 군고구마 상품은 언제 판매를 시작해야 할까요? 11월? 12월이요? 땡! GS25 편의점의 본사인 GS 리테일 분석 팀에 따르면, 겨울 상품의 매출은 날씨가 추울 때보다는 일교차가 큰 10월에 더 높습니다.

이런 *추세를 파악한다면 편의점은 매출을 올리기 위한 대비를 하기 쉬워집니다. 설 연휴 주택가 편의점은 화투와 카드를, 터미널 편의점은 종류별로 충전기와 이어폰을 평소보다 넉넉히 갖춰 놓아야겠죠. 마찬가지로 GS25 편의점들은 9월 말에 일찌감치 호빵과 군고구마를 판매할 준비를 마쳐 놓고요.

이런 소비 추세는 고객들의 소비 데이터가 모이지 않으면 찾아내기 쉽지 않습니다. 아마도 오랜 시간에 걸친 경험이 쌓여야만 겨우 알 수 있겠지요. 소비 데이터를 모으기 쉽게 만든 일등 공신은 바코드와 포스, 컴퓨터에 이르는 물류 체계의 혁신입니다. 이 혁신은 전자레인지나 건전지의 발명처럼 우리가 직접 느낄 수 있는 종류는 아니지만, 보이지 않는 곳에서 그 무엇보다 크게 우리의 삶에 영향을 미치고 있습

* 추세: 어떤 것이 한 방향으로 계속 흘러가는 것.

니다.

　이제 우리는 소비 행위 하나하나가 사라지는 게 아니라 빅 데이터로 남아 분석되는 시대에 살고 있습니다. 이런 세상에서 내가 사는 물건은 마케팅 전략의 결과이면서 대기업 빅 데이터 팀의 분석 요소가 됩니다. 우리 동네 편의점은 전 세계의 물건과 기술이 모이는 공간일 뿐만 아니라, 이제는 다른 지역 편의점과 사람들의 소비 패턴을 바꾸는 출발점이 되기도 한 셈입니다.

　자, 이제 돌아가서 점심을 먹을 일만 남았군요.

「계산대에서: 치열한 마케팅 전쟁이 벌어지는 곳」을 읽고
다음 물음에 답해 봅시다.

1. 다음은 이 글을 정리한 내용입니다. 빈칸에 들어갈 알맞은 말을 적
어 봅시다.

물건을 팔기 위해 편의점은 어떤 전략을 사용할까?
• 핵심 제품을 소비자의　　　　　이 가장 잘 머무는 곳에 둔다.
• 제품 한두 개를 사면　　　　　를 더 준다.

2. <보기>에서 편의점의 판매 전략들을 일반화할 수 있는 말을 찾고
빈칸을 채워 한 문장으로 요약해 봅시다.

　사람들은 편의점 입구에서 보이는 삼각김밥에 마음을 빼앗기
기도 하고, 꼬임에 넘어가 물건을 필요한 양보다 더 많이 사기
도 합니다. 이처럼 실제 인간의 심리와 행동을 경제학에 도입한
학문이 '행동 경제학'입니다. 편의점 여기저기에는 손님들이 조
금이라도 더 많은 물건을 사도록 만들기 위한 행동 경제학의 여
러 전략이 녹아 있지요.

　　편의점은　　　　　의 여러 전략을 사용하여 물건을 판매한다.

다음은 잠의 효과와 잠에 드는 원리 등을 과학적으로 설명한 글입니다. 글의 유형을 파악하고 그에 따른 글의 구조를 고려하며 읽어 봅시다.

# 꿀잠을 삽니다

목정민

　인간은 하루 중 약 3분의 1에 해당하는 시간을 잠을 자면서 보냅니다. 잠은 음식을 먹는 것만큼이나 중요한 생존의 필수 과정이에요. 우리는 잠을 통해 하루 동안 육체와 정신에 쌓인 피로를 회복합니다. 잠자는 동안 인체 내에서는 기억을 저장하고, 불쾌하거나 불안한 감정을 정화하는 등 활발한 작용이 일어나기도 해요. 그런데 만약 잠을 제대로 못 잔다면 어떨까요?

　최근 우리 사회에는 수면 부족이나 불면증을 호소하고, 숙면을 취하지 못하는 사람들이 늘어나고 있습니다. 2017년 경제 협력 개발 기구(OECD) 통계에 따르면, 전체 회원국의 평균 수면 시간은 8시간 22분입니다. 그런데 한국인의 하루 평균 수면 시간은 7시간 41분으로, OECD 국가 중 최하위에 해당하는 수치를 기록했어요. '불면 사회'라는 말까지 나올 정도로 우리나라에는 질 낮은 수면과 수면 부족에 시달리는 사람들이 많습니다. 이를 해결하기 위해 숙면을 돕는 각종 기술과 제품들이 쏟아져 나오고 있죠.

### 잠이 똑똑한 뇌를 만든다?

수면이란 일정 시간 동안 잠자는 것으로, 육체와 정신이 쉬며 피로를 회복하는 과정입니다. 수면 상태에서는 감각이 둔하고 의지에 따라 움직일 수 있는 근육의 활동이 없어 마치 의식과 반응이 정지된 것처럼 보여요. 그러나 이때에도 신체 각 기관은 피로 회복과 세포 재생, 근육 성장에 필요한 활동을 활발히 해 나갑니다. 우리는 수면을 통해 잠에 대한 욕구를 해소하는 차원을 넘어 에너지를 생산하고 축적해요.

프랑스 계몽기의 사상가 볼테르(Voltaire)는 "신은 인생의 갖가지 걱정에 대한 보상으로 우리에게 희망과 잠을 내려 주셨다."라고 말했어요. 그의 말처럼 우리는 수면을 취할 때 만큼은 근심과 불안을 잠시나마 내려놓을 수 있습니다. 수면은 하루 일과의 3분의 1을 차지할 만큼 우리 삶에서 비중이 큰 영역이면서 정신 및 신체 건강과 *직결돼 있어요.

우리 뇌는 잠자는 동안 새로운 기억을 쌓아 두고, 과거와 현재를 넘나들며 기억과 기억을 연결합니다. 여기에는 우리가 학습한 내용을 장기 기억으로 저장하는 일도 포함되기 때문에, 충분한 수면이 학습 능력에 영향을 준다고 하죠.

* 직결되다: 사이에 다른 것이 개입되지 아니하고 직접 연결되다.

2017년 기초 과학 연구원 신희섭 단장 연구 팀은 쥐를 대상으로 한 실험을 통해 '수면 중 *뇌파를 조절해 학습 기억력을 2배 가까이 높일 수 있다.'는 연구 결과를 발표했습니다.

수면 중 관찰되는 뇌파를 확인해 보면 심장 박동과 호흡 등 신체 활동의 양상을 감지할 수 있습니다. 뇌파와 눈동자의 움직임 유무에 따라 수면 단계를 '렘수면(REM, Rapid Eye Movement)'과 '비렘수면(Non-REM)'으로 구분할 수 있습니다. 렘수면은 잠자고 있는 듯이 보이지만 뇌파는 깨어 있을 때의 알파파를 보이는 수면 상태를 말해요. 눈동자가 움직이지 않는 비렘수면은 수면 시간의 70~80퍼센트를 차지하는데, 잠의 깊이에 따라 총 4단계로 구분됩니다. 잠들기 시작한 1단계에서 시간이 경과할수록 잠이 깊어지고 단계도 올라가죠. 수면의 질은 비렘수면 3~4단계에 해당하는 깊은 잠이 얼마나 지속되는지에 달려 있습니다. 비렘수면의 깊은 잠 단계에서는 세포 내 *미토콘드리아의 ATP(에너지 저장 물질) 생산이 매우 활발해져 에너지가 잘 축적되고 면역 체계가 강화됩니다. 이러한 과학적 근거에 의해 숙면이 우리 몸을 충전한다고 말할 수 있는 거예요. 전문가들은 비렘수면과 렘수면의 비율이 성인 기준으로 3 대 1 정도를 유지하는 것을 건강한 수면의 기준으로 꼽습니다.

* 뇌파: 뇌의 활동에 의하여 일어나는 전류.
* 미토콘드리아: 세포 속에 들어 있는 소시지 모양의 알갱이로, 세포의 발전소와 같은 역할을 하는 작은 기관.

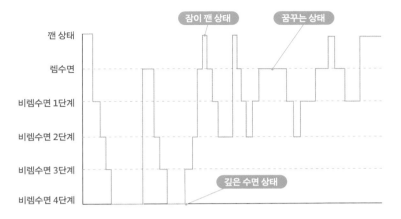

정상 수면 구조 그래프

비렘수면이 처음 4단계까지 도달한 뒤에 어떠한 이유로 뇌가 갑자기 활성화되면 렘수면에 접어듭니다. 렘수면은 잠들고 80~100분 뒤 처음 나타나 5~30분간 유지돼요. 이후 다시 비렘수면으로 바뀌면서 하룻밤 사이 렘수면과 비렘수면이 4~6회가량 교차하죠. 렘수면은 평균 90분 주기로 나타나 30분 이내로 유지됩니다. 렘수면 단계에서는 꿈을 꾸고 눈동자의 움직임이 빨라집니다. 이때 두뇌의 기억력과 집중력, 감정 조절 능력이 향상되고 정신적 피로가 해소돼요. 따라서 렘수면은 두뇌 기능에 매우 중요한 역할을 하는 것으로 알려져 있습니다.

그런가 하면 잠자는 동안 뇌의 독소 역시 제거된다는 사실이 밝혀졌습니다. 미국의 한 연구진이 수면으로 무의식 상태가 된 생쥐를 관찰한 결과, 뇌세포가 수축하면서 넓어진 세포들 틈 사이로 뇌척수액이 흐르며 노폐물을 제거하는 것이 확인됐어요. '뇌의 청소부'라고 불리는 뇌척수액은 수면 중인 우리 뇌에서도 같은 원리로 활동하고 있습니다. 수면 장애가 심하면 *알츠하이머병 등 신경 퇴행성 질병이 악화되는 것도 뇌의 독소 배출이 원활하지 않기 때문이죠.

### 사람도 겨울잠을 잘 수 있을까?

수면으로 의식이 없어도 생명 활동에는 아무런 지장이 없습니다. 이는 수면 중에도 자율 신경이 정상적으로 작동해 심장 박동과 호흡, 체온 등이 유지되고, 소화나 호르몬 분비 등 신진대사가 꾸준히 이어지기 때문이죠. 이 중 체온 유지는 인간과 동물의 생존에 필수적입니다. 그렇다 보니 겨울에는 바깥 온도에 따라 체온이 변하는 변온 동물뿐만 아니라, 추위와 굶주림으로부터 목숨을 지키려는 일부 항온 동물들도 겨울잠을 자요. 변온 동물은 겨울잠을 잘 때 심장 박동과 호흡이 거의 멎은 상태가 됩니다. 주위 온도에 따라 체온이 내려가 몸이 얼지 않도록 막아 주는 '부동 물질'도 체액에 들어 있어요. 이와 달리 항온 동물은 식량난에 대비해 에너지를 절약하기 위해 겨울잠을 잡니다. 이들은 가을 한철 동안 먹이로 살을 찌우고, 겨울이 오면 두꺼운 낙엽 아래나 땅속으로 들어가 체온·대사 등을 조절하며 긴 잠에 들죠.

동물이 겨울잠을 자는 원리는 아직 정확히 밝혀지지 않

* 알츠하이머병: 원인을 알 수 없는 뚜렷한 뇌 위축으로 기억력 등이 감퇴하는 병.

았습니다. 단, 이들의 체내에서 분비되는 특정 물질이 겨울잠을 유도한다는 사실은 확인됐어요. 대표적인 물질이 바로 '동면 유도 촉진제(HIT)'라는 단백질과 '엔케팔린(Enkephalin)'이라는 호르몬이죠. 엔케팔린의 화학적 성질이 마취제나 진통제로 쓰이는 모르핀과 유사하다는 것 외에는 두 물질의 화학 구조나 반응성에 대해 아직까지 구체적으로 밝혀진 바가 없습니다. 현재 과학자들은 이 겨울잠 유도 물질을 인체에 적용하는 '인공 동면' 연구를 진행하고 있습니다. 만약 인공 동면이 가능해지면 의학계에서 수술이 획기적으로 발전할 것으로 보여요. 인공 동면을 통해 외적 자극에 대한 생체 반응이 억제되면 수술 시 마취약을 소량만 사용할 수 있습니다. 또한 체온을 최대한 낮춘 상태에서 장기 이식과 같은 외과 수술을 하게 되면 다량의 출혈을 막을 수 있죠.

## 수면 습관과 생체 시계

수면은 우리 몸에 꼭 필요한 휴식과 회복의 과정이지만, 무조건 많이 잔다고 해서 좋은 것은 아닙니다. 수면에서는 양보다 질이 우선이거든요. 질 좋은 수면을 위한 핵심 조건은 규칙적인 취침 시간과 기상 시간입니다. 자고 일어나는 시간이 일정하면 생체 리듬이 안정적으로 유지되고, 이에 따라 호르몬 분비와 소화 등 신체 기능이 원활하게 작동할 수 있어요. 같은 시간을 자더라도 매일 일정한 시간에 잠드는 사람에 비해 취침 시간이 불규칙한 사람이 피로를 느끼기 훨씬 쉬운 이유죠.

수면의 질은 잠자리에 들기 전의 활동에 따라 좌우돼요. 먼저, 자기 직전에 음식을 먹으면 숙면에 방해가 됩니다. 야식을 먹은 직후 잠들면 밤새 장기와 뇌세포가 음식을 소화하기 위해 끊임없이 운동을 하게 돼 깊은 잠에 빠지기 어렵거든요. 따라서 적어도 잠들기 3~4시간 전부터는 물을 제외한 음식을 섭취하지 않는 편이 좋아요. 만약 배가 고파 잠을 이루기 어렵다면 따뜻한 우유를 1잔 마시는 것이 수면에 도움을 줄 수도 있다고 해요.

그밖에 잠자기 전 전자 기기를 보는 행위도 수면의 질을 낮춥니다. 스마트폰, TV, 컴퓨터 등의 화면은 청색광을 뿜어내는데, 이는 수면을 유도하는 호르몬인 '멜라토닌(Melatonin)'의 분비를 방해해 뇌를 각성시키는 결과를 가져와요. 이 때문에 최근에 나온 스마트폰에는 밤이 되면 자동으로 청색광을 차단하는 기능이 탑재돼 있죠. 그렇다 하더라도 잠자기 최소 1시간 전부터는 전자 기기의 화면을 멀리해야 합니다.

숙면을 위한 조건을 모두 갖췄음에도 잠이 오지 않을 때가 있어요. 그럴 때는 누워서 억지로 자려고 애쓰는 대신 독서나 음악 감상, 명상 등의 정적인 활동을 하며 잠을 청하는 게 좋습니다. 만약 이유 없이 잠을 이루지 못하는 증상이 한 달 넘게 이어지면 불면증을 의심해 볼 필요가 있어요. 불면증은 일상생활에 불편함을 *초래할 뿐만 아니라 우울증과 불안증 등의 정신 질환으로 이어질 위험이 있어, 증상이 나타났을 때 지체 없이 전문가의 도움을 받는 것이 좋습니다.

### '아침형 인간' 대 '저녁형 인간'

우리 사회에는 아침형 인간은 부지런하고 성공할 확률이 높은 반면, 저녁형 인간은 게으르고 자기 관리를 못한다는 *통념이 자리 잡고 있습니다. 아침형 인간과 저녁형 인간은 어떻게 결정되는 걸까요? 또 저녁형 인간이 노력한다면 아침형 인간으로 바뀔 수도 있을까요?

우리 몸에는 '생체 시계'라 불리는 일종의 생물학적 시계가 있습니다. 생체 시계는 약 24시간 주기로 설정돼 있으며, 이에 맞게 생리, 대사, 행동, 노화 등의 리듬을 조절해요. 밤에는 졸리고 아침에는 잠에서 깨는 것은 생체 시계가 작동하고 있기 때문이죠. 생체 시계는 빛의 자극에 따라 호르몬 분비와 체온 등을 조절해 우리 몸을 잠들게 하기도 하고, 잠에서 깨우기도 합니다.

아침형 인간과 저녁형 인간은 이러한 생체 시계의 바늘 차이로 나뉩니다. 생체 시계가 하루 24시간을 주기로 똑같이 작동하더라도, 아침형 인간은 그 주기가 적용되는 시간이 저녁형 인간보다 앞당겨져 있어요. 앞서 언급했던 수면

---

* 초래하다: 일의 결과로서 어떤 현상을 생겨나게 하다.
* 통념: 사람들에게 널리 퍼져 있거나 흔히 받아들이는 생각.

유도 호르몬 멜라토닌을 예로 들어 설명해 볼까요? 해가 져서 우리 몸에 들어오는 빛이 줄어들면 몸속에서는 생체 시계가 작동해 멜라토닌이 분비됩니다. 그런데 아침형 인간은 저녁형 인간보다 멜라토닌이 3시간 정도 빠르게 분비돼 이른 저녁부터 피로를 느끼고 일찍 잠자리에 들게 돼요. 반면 저녁형 인간은 멜라토닌이 비교적 늦게 분비되기 때문에 늦은 밤까지 깨어 있을 수 있습니다. 이러한 각자의 생체 리듬은 환경적 요인의 영향을 받기도 하지만, 타고난 유전자의 영향이 결정적으로 작용한다고 해요.

오늘날 업무나 학업 스케줄은 대개 아침형 인간의 생활 방식에 맞춰져 있습니다. 그래서 아침형 인간은 부지런하고, 저녁형 인간은 게으르다는 오해를 하기 쉽죠. 하지만 생체 시계의 작동 방식은 유전적 영향이 커서 노력으로 바꾸는 데 한계가 있을뿐더러, 억지로 바꾸려 하면 오히려 건강에 해로울 수도 있습니다. 아침형 인간과 저녁형 인간 중 우열을 가려 한쪽을 강요하기보다 각자가 지닌 생체 리듬을 존중하는 인식이 마련돼야 하지 않을까요?

아침형 인간도 저녁형 인간도 잘 자는 것이 중요합니다. 최근에는 스트레스 등으로 잠 못 자는 현대인이 늘면서 '꿀잠'에 대한 욕구와 관심이 커지고 있습니다. 이와 함께 수면과 관련한 각종 산업 및 서비스가 잇따라 등장하고 있어요. 수면을 뜻하는 'Sleep'과 경제를 의미하는 'Economics'를

* 우열: 나은 것과 못난 것.

합성한 '슬리포노믹스(Sleeponomics)'라는 신조어까지 생겨나기도 했죠. 이는 현대인이 좋은 잠을 위해 돈을 많이 지출함에 따라 성장하고 있는 수면 관련 산업을 가리킵니다. 코로나19 이전까지만 해도 사무실이 밀집한 도심 한복판에는 수면 카페들이 들어서 *호황을 누리기도 했어요. 어둡고 조용한 실내에 각도를 자유롭게 조절할 수 있는 의자 등의 설비를 갖춰, 공부에 지친 학생들이나 직장인들이 자투리 시간을 활용해 이곳에서 부족한 잠을 채우거나 휴식을 취할 수 있었죠.

국내 수면 산업 규모는 꾸준히 증가해 2019년에는 3조 원을 넘어섰습니다. 수면 산업의 성장과 함께 '슬립 테크(Sleep Tech)'가 화두로 떠올랐어요. 슬립 테크란 다양한 제품의 정보 통신 기술과 사물 인터넷, 빅 데이터 기술 등을 접목해 수면 상태나 패턴을 분석하고 숙면을 돕는 기술을 말합니다. 대표적인 예로, 수면 센서를 통해 사용자의 수면 상태를 파악하고 쾌적한 숙면을 유도하는 '스마트 침대'가 있어요. 사용자의 수면 상태에 따라 형태가 스스로 변화하는데, 만약 사용자가 자다가 코를 골면 침대 내부의 공기량이 조절되면서 머리를 받치는 부분이 천천히 올라가 코골이 증상을 완화하는 식이에요. 또 전극을 피부에 접촉시켜 사용자의 신체 정보 및 수면 상태를 파악하는 '스마트 안대'도 있습니다. 분석 결과를 기반으로 적절한 LED 빛이 사용

* 호황: 장사가 잘되거나 경제 사정이 좋은 것.

자를 *투과해 수면을 유도하거나 생체 리듬을 조절하는 등 다양한 기능을 제공하죠. 이 밖에 코골이를 막아 주는 '스마트 베개', 수면에 최적화된 온도를 자동으로 조절하는 매트리스 등 슬립 테크가 적용된 다채로운 제품들이 계속해서 등장하고 있습니다. 앞으로 과학 기술이 더욱 발달한 미래에는 인간이 더 '잘' 잘 수 있을까요?

* 투과하다: 빛이나 소리, 방사선 등이 물체를 뚫고 지나가다.

「꿀잠을 삽니다」를 읽고 다음 물음에 답해 봅시다.

## 1. 빈칸을 채워 이 글의 유형을 정리해 봅시다.

이 글은 잠에 대한 다양한 연구 결과를 바탕으로 잠의 중요성과 특징에 대해 설명한 　　　　　이다.

## 2. 다음은 글의 유형에 따른 구조에 대한 설명입니다. 이를 참고하여 빈칸에 알맞은 말을 넣어 이 글을 요약해 봅시다.

글의 유형에 따라 글의 구조도 다르다. 설명문은 '처음-중간-끝' 구조를, 논설문은 '서론-본론-결론' 구조를, 기사문은 '표제-부제-전문-본문-해설'의 구조를 가진다.

| 처음 | 잠은 생존의 필수 과정이다. |
|---|---|
|  | 수면이란 ＿＿＿＿＿＿＿＿＿＿＿＿＿＿＿＿이다. |
|  | 수면 중에도 ＿＿＿＿＿＿이 꾸준히 이어진다. |
|  | ＿＿＿＿＿＿이 중요하다. |
|  | 사람들은 각자의 ＿＿＿＿＿에 따라 잠을 잔다. |
| 끝 | 잠에 대한 관심과 욕구가 커지고 있다. |

# 인권의 개념

정용주

### 인권이 뭘까요?

조용한 버스 안을 상상해 봅시다. 그런데 어디선가 음악 소리가 쿵쾅쿵쾅 들려옵니다. 건너편 자리에 앉아 있는 아가씨의 헤드폰에서 흘러나오는 소리입니다.

"저기요."

한 사람이 다가가 아가씨의 어깨를 살짝 건들며 말했습니다.

"저요? 왜 그러세요?"

아가씨는 헤드폰을 벗으며 짜증이 섞인 말투로 물었습니다.

"음악 소리를 조금 줄여 주시겠어요?"

그 사람이 정중하게 부탁했습니다.

"나도 권리가 있는데, 내 마음대로 음악도 못 듣나요?"

아가씨는 눈을 동그랗게 뜨며 말했습니다.

사람은 누구나 존중받아야 하며 합당한 권리가 있습니다. 우리는 누구나 사람답게 살 권리, 즉 인권을 갖고 있습니다. 그런데 종종 다른 사람을 신경 쓰지 않고 자신의 인권만 소중히 생각하는 사람이 있습니다. 인권의 본래 의미는 여럿이 함께하는 삶입니다. 누구의 권리가 맞거나 틀리다고 구별하는 게 아닙니다.

　인권이 어떤 의미를 가지고 있는지 좀 더 자세히 살펴볼까요?

　하나, 인권은 인간이 갖는 보편적인 권리입니다.
　인간의 권리는 누구에게나 적용되어야 합니다. '~ 때문에'라는 어떤 조건으로도 제한할 수 없습니다. 즉 국적, 종교, 직업, 성별, 연령에 관계없이 인간이라면 누구나 가질 수 있는 권리여야 합니다. 또한 인권의 내용은 구체적인 법으로 정해지고 시행되느냐와 상관없이 보편적이어야 합니다. 따라서 인권은 인간이 가지고 있는 권리의 최고 가치입니다.
　둘, 인권은 약자를 위한 권리입니다.
　지금 우리가 누리는 인권은 수많은 사람들이 자신을 희생하고 투쟁하며 얻어 낸 것입니다. 우리 모두는 끊임없이 인간답게 살기 위해 노력하고 있습니다. 하지만 아직도 °열악한 환경에서 인권을 침해받고 고통받는 사람들이 많습니다. 이런 고통을 받는 약자야말로 인권을 누려야 할 사람들입니다.

● 열악하다: 질, 수준 등이 나쁘다.

셋, 인권은 책임을 동반한 권리입니다.

인간은 혼자 살아갈 수 없습니다. 가족을 이루고, 친구를 사귀고, 여러 사람이 함께 일하듯이 우리는 많은 사람들과 관계를 맺고 살아갑니다. 한 개인이 인권을 가지고 있다는 것은 다른 사람의 인권을 존중할 책임 또한 가진다는 것입니다. 따라서 한 개인의 인권은 다른 사람의 권리를 존중하면서 지켜져야 합니다.

넷, 인권은 개인과 집단을 *포괄하는 권리입니다.

인권은 단순히 개인의 권리가 아니기 때문에 사회에 초점을 둘 필요가 있습니다. 이런 점에서 인권의 주체는 개인뿐만 아니라 사회와 국가가 될 수도 있습니다.

북한에 살고 있는 사람과 한국에 살고 있는 사람이 누리는 권리가 다르다면 어떨까요? 어떤 나라의 국민은 인간다운 삶을 누릴 수 있는데, 어떤 나라의 국민은 교육을 받을 수도 없고 병원에서 치료도 받을 수 없다면 어떨까요? 이렇게 인간으로서 누려야 할 정당한 권리가 위협받아서는 안 됩니다.

다섯, 인권은 사회 변화를 요구합니다.

인권은 사회 제도, 관습, 법률보다 높은 개념입니다. 한 나라의 법과 문화가 인권을 무시하고 있다면 인간의 *존엄한

---

* 포괄하다: 일정한 대상이나 현상 따위를 한데 묶어서 어떤 범위나 한계 안에 모두 들게 하다.
* 존엄하다: 함부로 대할 수 없을 만큼 위엄이 있다.

삶을 위한 최소한의 조건을 제시하여 사회가 변할 것을 요구할 수 있습니다. 인권은 정의롭고 평화로운 사회로 나아가도록 하는 원동력이 됩니다.

### 인권은 어떻게 변화되었을까요?

고대 아테네에서는 재산을 가진 남자에게만 정치에 참여할 수 있는 시민권이 주어졌습니다. 중세 시대에 일어난 종교개혁은 사람들에게 종교의 자유를 안겨 주었고, 프랑스 대혁명과 같은 시민 혁명으로 시민권이 확산되기도 했습니다.

인류의 역사 중 생존 자체의 심각한 문제를 보여 준 것은 전쟁이었습니다. 제2차 세계 대전 중 나치의 유대인 대학살과 핵무기의 폭발은 전 세계인을 충격에 빠뜨렸습니다.

그 후, 1948년에 설립된 국제 연합(UN)은 인간의 기본적 권리로서 세계 인권 선언의 내용을 만들었습니다. 인권이 국가나 사회의 문제가 아니며, 온 인류가 협력해서 추구해야 할 과제라는 것을 알렸습니다. 국제 연합과 사람들의 노력으로 각 나라의 인권은 많이 향상되었습니다. 하지만 세계 인권 선언은 북한처럼 자기 나라 국민의 인권을 *탄압할 경우 구체적으로 할 수 있는 일이 없기도 합니다. 그리고 아직도 세계 곳곳에는 전쟁으로 인해 많은 사람들이 기아와 질병으로 떠돌아다니고 있습니다.

초기 인권은 국가가 국민을 간섭하지 않도록 요구하는 자

---

＊ 탄압하다: 힘이나 권력으로 많은 사람을 눌러 꼼짝 못하게 하다.

유에 대한 권리가 중심이었습니다. 그리고 점차 사회적 약자들의 인간다운 삶을 위한 인권 또한 향상되었습니다. 오늘날에는 지속 가능한 지구를 만들기 위해 환경과 평화를 지켜 나가는 인권도 중요하게 여겨지고 있습니다.

### 세계 인권 선언이 궁금해요

제2차 세계 대전이 일어나기 전까지 국민이 한 국가에서 어떤 대우를 받는지에 대해서 다른 나라는 관심을 갖지 않았습니다. 그러나 제2차 세계 대전 이후 전쟁을 일으킨 일본, 독일, 이탈리아 같은 국가들이 행하는 폭력과 살인은 많은 사람들에게 인간의 존엄성에 대한 국제적인 관심과 보호가 필요하다는 생각을 하게 했습니다. 이를 계기로 국제 연합은 세계 인권 선언을 만들었습니다. 그리고 이를 기념해 매년 12월 10일을 '세계 인권 선언일'로 정했습니다.

세계 인권 선언은 인간의 자유와 권리가 모든 사람과 모든 장소에서 똑같이 적용된다는 것을 세계 최초로 인정한 선언입니다. 인간의 존엄성과 평등, 자유, 형제애가 가장 중요하며 이를 지켜 나가기 위해서는 인간의 끊임없는 노력이 따라야만 한다는 것을 알 수 있습니다.

### 우리나라 헌법에도 인권이 있어요

헌법은 인권과 같은 기본적 권리를 보장하고 있는 법입니다. 물론 모든 인권이 헌법에 있는 것은 아니지만 우리가 말하는 인권의 근원은 헌법입니다. 그러므로 우리는 헌법에서 인권을 발견할 수 있습니다.

- 제10조 모든 국민은 인간으로서의 존엄과 가치를 가지며, 행복을 추구할 권리를 가진다. 국가는 개인이 가지는 *불가침의 기본적 인권을 확인하고 이를 보장할 의무를 진다.
- 제11조 모든 국민은 법 앞에 평등하다. 누구든지 성별·종교 또는 사회적 신분에 의하여 정치적·경제적·사회적·문화적 생활의 모든 영역에 있어서 차별을 받지 아니한다.
- 제37조 국민의 모든 자유와 권리는 국가 안전 보장·질서 유지 또는 공공 복리를 위하여 필요한 경우에 한하여 법률로써 제한할 수 있으며, 제한하는 경우에도 자유와 권리의 본질적인 내용을 침해할 수 없다.

헌법에 있는 인권을 좀 더 자세히 살펴보면 다음과 같습니다.

**자유로서의 권리**
- 제12조 모든 국민은 신체의 자유를 가진다. 누구든지 법률에 의하지 아니하고는 체포·구속·압수·수색 또는 심문을 받지 아니한다.
- 제13조 모든 국민은 행위 시의 법률에 의하여 범죄를 구성하지

---

• 불가침: 침범하여서는 안 됨.

아니하는 행위로 *소추되지 아니하며, 동일한 범죄에 대하여 거듭 처벌받지 아니한다.

- 제14조 모든 국민은 거주·이전의 자유를 가진다.
- 제15조 모든 국민은 직업 선택의 자유를 가진다.
- 제16조 모든 국민은 주거의 자유를 침해받지 아니한다.
- 제17조 모든 국민은 사생활의 비밀과 자유를 침해받지 아니한다.
- 제18조 모든 국민은 통신의 비밀을 침해받지 아니한다.
- 제19조 모든 국민은 양심의 자유를 가진다.
- 제20조 모든 국민은 종교의 자유를 가진다.
- 제21조 모든 국민은 언론·출판의 자유와 집회·결사의 자유를 가진다.
- 제22조 모든 국민은 학문과 예술의 자유를 가진다.
- 제23조 모든 국민의 재산권은 보장된다.

**참여적 권리**
- 제24조 모든 국민은 법률이 정하는 바에 의하여 선거권을 가진다.
- 제25조 모든 국민은 법률이 정하는 바에 의하여 *공무 담임권을 가진다.

**사회적 권리**
- 제31조 모든 국민은 능력에 따라 균등하게 교육받을 권리를 가

* 소추되다: 형사 사건에 대하여 공소 제기를 받다.
* 공무 담임권: 국민이 나라의 공무를 맡아볼 수 있는 참정권.

진다.

- **제32조** 모든 국민은 근로의 권리를 가진다.
- **제33조** 근로자는 근로 조건의 향상을 위하여 자주적인 단결권, 단체 교섭권 및 단체 행동권을 가진다.
- **제34조** 모든 국민은 인간다운 생활을 할 권리를 가진다.
- **제35조** 모든 국민은 건강하고 쾌적한 환경에서 생활할 권리를 가지며, 국가와 국민은 환경 보전을 위해 노력하여야 한다.
- **제36조** 혼인과 가족생활은 개인의 존엄과 양성의 평등을 기초로 성립되고 유지되어야 하며, 국가는 이를 보장한다.

## 인권을 가지기 위해 일어난 사건

인권은 처음부터 존재했던 것이 아니고 수많은 변화 속에서 만들어져 온 것입니다. 그 과정에서 일어난 중요한 사건을 알아볼까요?

권리 장전, 프랑스 인권 선언과 같이 인권을 보장하기 위한 노력이 있었고, °홀로코스트(The Holocaust), °아파르트헤이트(Apartheid)를 통해 인권의 중요성이 다시 한번 강조되었습니다.

신분제를 해체하기 위해 싸웠던 프랑스 대혁명처럼 조선 시대 양반 남성 중심의 사회에 맞선 종교로 동학이 있었습니다. 동학은 '사람이 곧 하늘이다.'라고 선언했습니다. 즉

---

° 홀로코스트: 제2차 세계 대전 중 나치 독일이 저지른 유대인 대학살.

° 아파르트헤이트: 인종에 따라 사회적인 여러 권리를 차별하는 정책.

여성, 노비, 천민들도 양반과 같다는 의미였습니다.

조선 시대에는 죄를 지은 사람의 가족까지 죽이거나 처벌하는 법률도 있었습니다. 이처럼 범죄를 저지른 사람과 특별한 관계에 있는 사람까지 처벌하거나 불이익을 주는 것을 연좌제라고 합니다. 우리나라 연좌제는 1980년 헌법에서 공식적으로 폐지되었습니다.

고문은 죄가 있다고 의심되는 사람에게 자백 등 범죄 증거를 모으기 위해 육체적 고통을 가하는 것입니다. 1987년에는 박종철 학생이 고문 수사를 받다가 물고문으로 인해 숨진 사건이 있었습니다. 이 사건으로 인해 독재 정권을 반대하는 6월 민주화 운동이 일어났습니다.

### 누가 앞장서서 인권을 지켰을까요?

세계 여러 나라에는 인권을 지키려고 애쓴 훌륭한 분들이 있습니다. 미국의 흑인 해방 운동 지도자 마틴 루서 킹(Martin Luther King) 목사, 인도에서 고아와 나병 환자를 비롯해 가난한 이들을 위해 몸 바친 마더 테레사(Mother Teresa) 수녀, 남아프리카 공화국의 인종 격리 정책인 아파르트헤이트에 맞서 싸운 넬슨 만델라(Nelson Mandela) 대통령, 아프리카의 밀림을 되살리는 운동을 벌인 케냐의 왕가리 마타이(Wangari Maathai) 환경 운동가 등이 대표적인 인권 운동가입니다.

한국에도 인권을 위해 싸운 사람들이 많이 있었습니다.

연설 중인 마틴 루서 킹 목사

만적은 고려 시대 신분 해방 운동을 일으켰습니다. 최충헌의 노비였던 만적은 노예 제도의 부당함을 이야기하며 노예해방을 위해 싸웠습니다.

어린이날을 만든 방정환도 중요한 인권 운동가 중 한 사람입니다. 방정환은 일제 강점기 전국을 돌며 어린이들에게 동화를 들려주다가 순사에게 잡혀 감옥에 가기도 했습니다. 그럼에도 불구하고 평생 어린이를 사랑하는 마음으로 살았습니다.

녹두 장군이라 불리는 전봉준 장군은 조선 시대 동학 운동의 지도자였습니다. 전봉준은 고부 군수 조병갑이 많은 세금을 백성들에게 걷어 가고 백성들의 재물을 빼앗는 것을 보고 분노하여 1894년 농민군을 이끌어 동학 농민 운동을 일으켰습니다. 초기에는 승리를 거두었으나, 우금치 전투에서 크게 패하고 전라도 순창에서 일본군에 체포되어 교수형에 처해졌습니다. 전봉준은 농민의 인권을 위해 몸을 바쳐 싸운 인권 운동가였습니다.

　평범한 *피복 공장의 재단사였던 전태일은 어린 노동자들을 많이 만났습니다. 당시 어린 학생들은 학교에 다니지 못하고 돈을 벌기 위해 서울과 같은 도시에서 일했습니다. 노동자들은 다닥다닥 붙은 작업장에서 허리를 제대로 펴지도 못했습니다. 잠도 서너 시간밖에 잘 수 없었고 잠이 오지 않는 약을 먹어 가며 밤샘 작업을 하기도 했습니다. 전태일은 이런 현실을 아주 가슴 아파했습니다. 자신도 가난했지만 어린 여동생들에게 붕어빵을 사 주거나 일을 대신 해 주기도 했습니다. 더 나아가 전태일은 자신과 같이 배우지 못한 노동자들이 나쁜 작업 환경에서 기계처럼 쉬지 않고 일하고 적은 월급을 받는 것을 안타까워하며 법을 공부했습니다. 일하는 환경을 바꾸려고 노력했지만 회사와 사회는 전태일과 노동자들의 요구를 무시했습니다. 전태일은 이러한 현실을 알리고자 1970년 평화 시장 앞에서 자신의 몸에 기름을 뿌리고 불태웠습니다. 전태일의 분신 사건으로 한국 사회는 충격을 받았고, 마침내 노동자의 환경과 권리에 대해 관심을 갖게 되었습니다.

* 피복: '옷'을 이르는 말.

전태일이 노동자의 인간적인 대우를 위해 싸웠다면 조영래 변호사는 약한 자들의 권리를 지키기 위해 싸운 인권 변호사였습니다. 그리고『전태일 평전』을 쓴 작가로도 유명합니다. 조영래 변호사는 인권이 짓밟히는 것을 그대로 보고만 있지 않고 법정에서 싸웠습니다. 이 밖에도 김대중 전 대통령을 비롯해 수많은 인권 운동가들이 우리의 인권을 지키기 위해 싸워 왔습니다.

**「인권의 개념」을 읽고 다음 물음에 답해 봅시다.**

**1. 다음 <목적>에 맞추어 이 글을 요약하려 할 때 어느 부분을 참고하면 좋을지 <소제목> 중에서 골라 봅시다.**

**목적**

  우리나라에서 인권을 지키기 위해 싸운 사람은 누가 있는지 알고 싶어.

**소제목**

- 인권이 뭘까요?
- 인권은 어떻게 변화되었을까요?
- 세계 인권 선언이 궁금해요
- 우리나라 헌법에도 인권이 있어요
- 인권을 가지기 위해 일어난 사건
- 누가 앞장서서 인권을 지켰을까요?

**2. 1번 활동의 <목적>에 따라 요약문을 완성해 봅시다.**

  우리나라에서 인권을 지키기 위해 싸운 사람은 _____

_____

_____

_____ 등이 있다.

남극과 북극의 공통점과 차이점을 설명하는 글입니다. 이 글의 내용 전개 방법을 파악하며 글을 읽어 봅시다.

# 남극과 북극,
# 어떤 점에서 다를까?

고현덕 외

2003년 12월 6일, 너무나도 차디찬 남극의 바다에서 27살 청년 전재규 세종 기지 대원이 숨을 거두었다. 한 젊은이의 안타까운 죽음은 우리나라 남극 탐험의 \*교두보인 세종 기지에 대한 국민의 관심을 불러일으키기도 하였다.

1년 내내 매서운 \*혹한의 바람으로 뒤덮인 곳, 사방을 둘러보아도 끝없이 펼쳐진 얼음만 보이는 그곳에서 우리의 젊은 과학자들은 극지 환경 연구 및 지구 환경 변화 연구를 위해 노력하고 있다.

지구상에서 다양한 열 순환에도 불구하고 따뜻한 태양 복

* 교두보: 어떤 일을 하기 위해 마련한 발판을 비유적으로 이르는 말.
* 혹한: 아주 호되고 심한 추위.

**남극에 있는 세종 기지의 전경**

사 에너지를 넉넉하게 받지 못한 소외된 땅이 바로 남극과 북극이다. 이 두 지역은 겉으로는 비슷해 보이지만 서로 전혀 다른 특징을 갖고 있다.

남극은 면적이 1,360제곱킬로미터(한반도의 60배)에 이르는 거대한 대륙으로 지구상의 7대 대륙 중 다섯 번째로 크다. 오랜 세월에 걸쳐 쌓인 눈이 자체 압력으로 단단하게 굳어져 생긴 두께 2킬로미터에 이르는 거대한 얼음덩어리가 남극 대륙 표면의 98퍼센트가량을 덮고 있다. 남극 대륙에서 오래된 운석이 발견되는 것으로 보아 이곳에는 오래전 지표의 모습을 확인할 수 있는 천연 자료들이 보관되어 있을 것으로 추정된다.

반면에 북극은 아시아와 아메리카 대륙으로 둘러싸인 거대한 북극해를 말한다. 북극해는 면적이 1,400만 제곱킬로미터로 지중해의 6배이며, 전 세계 바다의 3퍼센트를 차지한다. 북극은 이 북극해 주변의 바닷물이 얼어서 된 거대한 얼음덩어리가 떠 있는 것에 불과하다. 물론 해수면 위로 보이는 빙하는 전체 얼음덩어리의 10퍼센트 정도에 불과하다. '빙산의 일각'이라는 표현은 여기에서 나온 것이다. 이처럼 서로 다른 지역적 특징은 두 지역의 기후 조건에도 많은 영향을 미치고 있다.

남극과 북극 가운데 어디가 더 추울까? 남극이 훨씬 춥다. 북극은 주변에 있는 바다와 저위도에서 흘러 들어오는 따뜻한 해류의 영향을 받는다. 얼음덩어리에 비해 상대적으로 온도가 높은 바다에서 상승하는 따뜻한 공기의 흐름으로 겨울에는 최저 영하 30~40℃까지 내려가지만, 여름에는 영상 10℃ 정도로 비교적 따뜻한 편이다. 한편, 남극은 가열과 냉각이 쉽게 이루어지는 지각이 아래쪽에 있기 때문에 한겨울에 해당하는 8월 말 무렵이면 내륙의 고원 지대에서는 기온이 영하 70℃ 가까이 내려간다고 한다. 역사상 최저 기온은 영하 89℃였다. 또한 북극에는 *이누이트들이 거주하고 있지만, 남극에는 연구를 목적으로 거주하는 사람들 외에는 원주민이 없다. 남극의 혹한을 견뎌 내기가 그만큼 어렵기 때문이다.

또한 펭귄은 남극에서 볼 수 있고 북극곰은 북극에서만

---

* 이누이트: 북극, 캐나다, 그린란드 및 시베리아의 북극 지방에 사는 인종. 에스키모라고 부르기도 한다.

산다. 왜 펭귄은 남극에서만 살까? 펭귄은 여러 종이 있으며 대부분 남극을 비롯한 남반구에서 살고 있다. 주로 해안가에서 구멍을 파고 사는 펭귄들은 작은 돌 조각들을 이용하여 둥지를 만든다. 빙원에서 구할 수 있는 돌 조각은 태양열을 흡수하거나 체온을 따뜻하게 유지시킬 수 있는 유일한 물질이다.

펭귄이 주로 남극에 살고 있는 이유는 남극이 아메리카 대륙에서 분리되기 전에 서식하던 조류의 일부가 추위에 적응하기 위해 현재의 펭귄으로 진화하였기 때문으로 보고 있다. 반면 북극곰이 북극에만 살게 된 것은 북극이 북반구의 대륙에서 가까운 곳이기 때문이다. 대륙에 살던 곰이 넘어가 살게 되었을 가능성이 매우 높다. 지금도 유빙을 타고 이동하는 북극곰이 있다고 하니 북극해 주변의 얼음덩어리는 북극곰의 이동 수단으로 볼 수 있다.

그렇다고 곰이 얼음덩어리를 타고 남극 대륙까지 갈 수는 없었지만 펭귄 같은 조류는 육지를 따라 이동하였기 때문에 상대적으로 남극 대륙으로 이동하기가 더 쉬웠다. 그래서 북극곰은 있지만 남극곰은 없고, 남극 펭귄은 있지만 북극 펭귄은 없는 것이다.

보통 100미터 두께의 얼음이 만들어지려면 1,000년의 긴 세월이 필요하기 때문에 지금의 남극의 얼음이 되기까지 약 10만 년이 걸렸을 것으로 보고 있다. 현재 남극 대륙의 얼음은 전 지구상의 얼음 중 90퍼센트가량을 차지하고 있으

며 두꺼운 얼음층은 지구 기록에 대한 냉동 창고의 역할을
하고 있다.

「남극과 북극, 어떤 점에서 다를까?」를 읽고 다음 물음에 답해 봅시다.

**1. <보기>에서 다음 빈칸에 들어갈 적절한 말을 골라 봅시다.**

이 글은 남극과 북극의 차이를 설명하는          구조이다.

**보기**

인과      문제-해결      비교-대조      나열

**2. 이 글의 전개 방식을 고려하며 내용을 요약해 봅시다.**

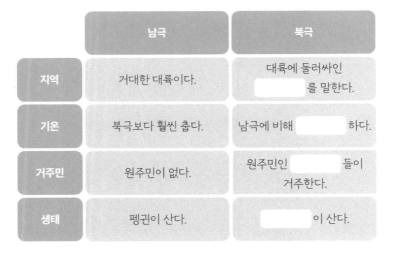

| | 남극 | 북극 |
|---|---|---|
| 지역 | 거대한 대륙이다. | 대륙에 둘러싸인 [ ]를 말한다. |
| 기온 | 북극보다 훨씬 춥다. | 남극에 비해 [ ]하다. |
| 거주민 | 원주민이 없다. | 원주민인 [ ]들이 거주한다. |
| 생태 | 펭귄이 산다. | [ ]이 산다. |

부정적인 감정이 마음속에서 오랫동안 사라지지 않으면 어떻게 하면 좋을지, 그 해결 방법을 떠올리며 다음 글을 읽어 봅시다.

# 부정적인 감정에 사로잡힌 나에게 가장 필요한 것은

전수경

하루를 생활하면서 절대 지나칠 수 없는 것이 있다면 우리의 '감정'을 빼놓을 수 없을 겁니다. 학교나 집을 비롯한 여러 장소와 상황에서 벌어지는 다양한 일에 대해 마음속에서 일어나는 감정은 하루에도 수십 가지가 생겨나지요. 그래서 심리 상담에서는 '감정 카드'라는 도구를 자주 사용합니다. 하루 혹은 일주일간 일어난 다양한 감정을 질문하며 여러 가지 감정에 관해 이야기하는 거죠.

누군가는 날씨를 우리의 감정에 비교하기도 합니다. 맑다가도 갑자기 비가 내리는 등 날씨가 매우 다양하듯 우리가 느끼는 감정도 매우 다양하죠. *희로애락의 단순한 구분이

* 희로애락: 기쁨과 노여움과 슬픔과 즐거움을 아울러 이르는 말.

아니라 '가슴 미어지는', '외롭지만 여유로운' 등 매우 복잡하고 다양한 감정들이 있어요.

우리는 다양한 감정을 가지고 있지만 단순하게 두 가지로 감정을 나눠 버리는 경우가 많습니다. 흔히 긍정적인 감정과 부정적인 감정으로 구별하는데, 긍정적인 감정은 우리에게 유쾌한 느낌을 주고 웃음이나 미소로 표현되며 여러 사람과 그 감정을 나누고 싶어 하죠. 그런데 부정적인 감정은 우리에게 나쁜 영향을 주는 감정이라고 생각해서인지 어떻게든 피하려 하고 표현하지 않으려 애씁니다.

하지만 부정적인 감정 역시 우리가 생활하면서 느끼는 아주 소중한 감정이고 우리를 보호해 주는 고마운 감정이라는 사실, 알고 있나요? 만약 늦은 밤 어두운 데다 아무도 없는 길에서도 불안이나 두려움을 느끼지 못한다면 우리는 위험에 노출되는 일이 훨씬 많아질 것입니다. 또 교실 안에서 선생님께 혼이 나거나 친구들과 어울리며 부끄럽고 화가 나는 일을 겪었다면 다시는 그런 상황이 벌어지지 않도록 노력할 테죠. 이렇듯 우리가 느껴지는 감정은 우리에게 해를 주기 위함이 아니라 우리 자신을 우리가 이해하게 하고 우리를 보호하기 위한 신호등입니다. 파란불과 빨간불 사이에 노란불이 있듯 다양한 감정을 느끼는 건 우리의 행동과 마음을 이해하게 하고 준비하게 하죠.

쉽게 °이분법적으로 나누고 있는 부정적인 감정과 긍정적

---

° 이분법적: 서로 배척되는 두 가지로 구분하는. 또는 그런 것.

인 감정은 모두 소중하고 우리에게 도움이 되는 긍정적인 감정이에요. 단지 유쾌한 감정과 유쾌하지 않은 감정 중 어느 쪽에 더 치우쳐 있는가의 차이가 있을 뿐입니다.

많은 정신 건강 관련 연구자들은 모든 감정이 중요하며 그 감정들이 우리에게 자연스럽게 생성되었다가 또 자연스럽게 사라져야 건강하다고 이야기합니다. 그렇다면 왜 사람들은 긍정과 부정으로 감정을 나누고 부정적인 감정을 느끼지 말아야 하는 감정으로 취급하는 것일까요? 아마 유쾌하지 않은 감정을 오래 간직하고 있으면 힘들어지기 때문이라고 생각됩니다.

그럼 이제 궁금한 게 하나 생겼을 거예요. 유쾌하지 않은 감정을 자연스럽게 사라지게 하는 방법은 과연 무엇일까요?

예를 들어, 가장 친한 친구가 유쾌하지 않은 감정을 느끼고 있는 것을 알았다면 여러분은 어떻게 하나요? 친구의 경험을 들어 주고 그 감정을 함께 나누며 괜찮다고, 그럴 수 있다고 위로하며 신경 써 줄 가능성이 높죠. 친구가 아닌 자신이 유쾌하지 않은 감정을 느끼고 있는 것을 알았다면 어떻게 하나요? 아마 잠을 청해서 잊으려 하거나 왜 그런 일이 벌어졌는지, 내가 왜 그런 행동을 했었는지 후회하고 자신과 타인을 탓하게 되기 쉽죠.

이 두 가지 경우를 비교해 보면 친한 친구와 자기 자신에 대한 태도가 너무 다르다는 것을 알 수 있습니다. 우리 자신에게도 유쾌하지 않은 감정을 불러일으킨 경험에 대해 이해하고 그 감정을 느낀 자신을 위로하며 다독여 주어야 합니다. 유쾌하지 않은 감정을 보살펴 준다면 그 감정의 힘은 점점 약해지고 자연스럽게 우리에게서 빠져나가게 될 거예요.

미움을 받는 아이가 더 떼쓰고 화내듯이 유쾌하지 않은 감정을 미워하고 없애려고만 한다면 더 성이 나고 우리의 에너지를 빼앗아 갈 것입니다. 그러니 우리가 진짜 보살펴 주어야 할 감정이 무엇인지 잘 알아야 합니다.

자, 오늘부터 유쾌하지 않은 감정이 다가오고 있는 것 같다면 자신에게 먼저 이렇게 말해 주세요. "그래, 충분히 그럴 수 있어. 지금의 기분은 당연한 거야." 그리고 당장 기분이 나아지지 않아도 조금 기다려 주세요. 쉽게 사라지지 않는 미소처럼 모든 감정에는 *여운이 있다는 걸 기억하면서 말이죠.

---

* 여운: 아직 가시지 않고 남아 있는 운치.

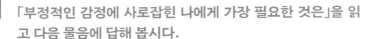

「부정적인 감정에 사로잡힌 나에게 가장 필요한 것은」을 읽고 다음 물음에 답해 봅시다.

**1.** 이 글의 구조와 그에 어울리는 요약 방법을 생각하며 다음 대화의 빈칸에 적절한 말을 채워 봅시다.

친구 1

이 글을 예로 들어 글의 내용 전개 방식을 고려하여 요약하는 방법을 설명해 줄래?

이 글은 _____ 구조야. 그럴 때에는 문제 상황과 그 해결 방법을 중심으로 요약하면 돼.

친구 2

**2.** 다음의 문제 상황에 알맞은 해결 방법을 이 글에서 찾아 요약해 봅시다.

문제 상황

　　유쾌하지 않은 부정적 감정이 오래 사라지지 않을 때

해결 방법

별똥별은 왜 떨어지며, 어째서 평상시에는 쉽게 보기 어려운 걸까요? 그 이유를 찾아가며 다음 글을 요약해 봅시다.

# 별똥별은 과연 별일까?

EBS 오디오 콘텐츠팀

아직 알려지지 않은 우주의 신비는 우리를 꿈을 꾸게 한다. 깜깜한 밤 잔디밭에 누워 하늘에서 쏟아지는 별똥별을 바라보는 일은 상상만 해도 즐겁다. 그런데 별똥별은 왜 지구로 떨어지며 그 정체는 무엇일까? 별똥별이 떨어질 때 소원을 빌면 정말 소원이 이루어질까? 이 모든 궁금증을 하나하나 풀어 보자.

맑은 밤하늘을 보면 갑자기 하늘을 가르며 땅으로 떨어지는 별똥별을 볼 수 있다. 별똥별은 이름처럼 별의 똥에서 나온 게 아니다. °혜성이나 °소행성에서 떨어져 나온 티끌이나 태양계 공간을 떠돌던 우주 먼지 등이 지구 중력에 붙잡혀 대기권으로 들어오면서 공기와 부딪혀 불타는 것이다. 별똥

° 혜성: 빛나는 긴 꼬리를 달고 해 둘레를 도는 별.
° 소행성: 화성과 목성 사이에서 태양 둘레를 도는 수많은 작은 별.

별은 하루에 약 2억 개가 떨어지는데 전체 질량만 10톤에 이른다. 맑은 날 밤하늘을 바라보고 있으면 별똥별을 1시간에 5~10개 볼 수 있으나 이는 계절이나 시각에 따라 다르다.

별똥별이 그렇게 많이 떨어지는데 왜 쉽게 눈에 보이지 않을까? 별똥별은 낮에는 태양의 밝은 빛 때문에 볼 수 없고 대부분 늦은 밤이나 새벽 시간에나 볼 수 있다. 또 총알보다 빠르게 움직여서 눈으로 볼 수 있는 시간은 길어야 2초에서 3초이고 대부분 1초 사이에 순식간에 떨어진다.

별똥별이 자정 너머 많이 떨어지는 까닭은 지구가 태양 주변을 도는 속도(공전 속도)와 관련이 있다. 자정 이전에는 우주 먼지나 암석이 지구보다 더 빨리 움직여야 지구를 따라잡아서 지구에 떨어질 수 있다. 하지만 자정 이후인 새벽에는 우주 먼지나 암석이 지구가 공전하는 길목에 있기만 해도 지구에 빨려 들어가 별똥별이 될 수 있다. 그래서 새벽에 별똥별이 많이 떨어지는 것이다.

별똥별의 정체가 별이 아니라 우주 먼지라 해도 여전히 별똥별을 신비롭게 보는 사람들이 많다. 떨어지는 별똥별을 보며 소원을 비는 것은 우리나라만이 아니다. 독일에서는 천사가 하늘의 초를 닦을 때 땅으로 떨어진 양초의 심지가 별똥별이라고 믿는다. 일본에서는 별똥별이 사라지기 전에 소원을 3번 말해야 소원이 이뤄진다고 믿는다. 칠레에서는 소원을 빌면서 바닥의 돌을 주워야 소원이 이뤄진다고 하며, 필리핀에서는 별똥별이 사라지기 전에 리본 매듭까지

지어야 소원이 이뤄진다고 한다. 하지만 별똥별이 떨어지는 1초도 안 되는 짧은 순간에 이런 일이 가능할까? 별똥별에 소원을 빌고 그 소원이 이뤄지게 하려면 별똥별이 무더기로 떨어질 날을 기다려야 한다.

별똥별이 비처럼 쏟아지는 시기가 있다. 혜성이나 소행성들이 타원 궤도를 그리며 지난 자리에는 이 천체들에서 나온 먼지가 많다. 이런 우주 먼지는 둥둥 떠 있다가 공전하는 지구의 중력에 이끌려 대기권으로 들어와 불타면서 별똥별이 되어 쏟아진다. 이렇게 별똥별이 한꺼번에 쏟아지는 현상을 유성우(流星雨)라고 한다. 마치 비처럼 내린다고 해서 붙여졌다. 유성우 이름 앞에 황소자리, 오리온자리처럼 별자리 이름이 붙기도 하는데, 이는 지구에서 밤하늘을 보았을 때 별똥별이 어떤 별자리를 중심점으로 해서 떨어지는지를 나타낸다.

해마다 지구는 혜성이나 소행성들이 남기고 간 거대한 우주 먼지 지역을 통과할 때가 있다. 이때 지구에서 보면 마치 그 우주 먼지(유성우)가 특정한 방향을 중심으로 쏟아지는 것처럼 보이는데, 유성우의 시작점을 복사점이라고 한다. 그래서 황소자리 유성우와 같은 이름은 별똥별이 떨어지는 복사점이 황소자리임을 알려 주면서 지금 지구가 어느 방향에 있는 우주 먼지를 향해 돌진하는지를 알려 준다.

유성우는 해마다 서너 차례 내리는데, 8월에 오는 페르세우스자리 유성우는 보통 시간당 80여 개 이상, 많게는 100개

2010년 관측된 페르세우스자리 유성우

가 넘는 별똥별이 떨어진다. 따라서 주변이 깜깜한 곳에서 밤 하늘을 올려다보면 어렵지 않게 머리 위를 지나가는 밝은 별 똥별의 흔적을 볼 수 있다. 해마다 12월에 찾아오는 쌍둥이 자리 유성우도 많게는 시간당 100개에 가까운 별똥별이 떨 어진다. 이때 별똥별 가운데 지구의 땅으로 떨어진 것을 운 석이라고 한다. 작은 별똥별은 대기를 지나며 모두 타서 없 어지는데 좀 더 큰 별똥별은 땅에 떨어져 거대한 운석 구덩 이를 만든다.

 별똥별이 별이 아니라 우주를 떠돌던 티끌이나 먼지 등이 지구의 공기와 부딪쳐 불타는 것이라고 해도 우리는 깜깜 한 밤하늘에서 쏟아지는 별똥별을 보면 신기하고 아름다운 모습에 감탄하게 된다. 여름에는 페르세우스자리, 가을에는 오리온자리, 겨울에는 쌍둥이자리 유성우를 보면서 과학적 사실은 잠깐 접어 두고 소원을 빌어 보면 어떨까.

「별똥별은 과연 별일까?」를 읽고 다음 물음에 답해 봅시다.

1. 이 글을 읽고 별똥별에 대해 정리한 메모입니다. 다음 중 수정이 필요한 문장에 √ 표시를 해 봅시다.

□ 별똥별은 지구의 공전 속도 때문에 자정 전에 많이 떨어진다.

□ 별똥별이 한꺼번에 떨어지는 것을 유성우라고 하는데 해마다 서너 차례 내린다.

□ 작은 별똥별은 대기를 지나며 타서 없어지고 큰 별똥별은 땅에 떨어져서 운석 구덩이를 만든다.

□ 별똥별은 우주를 떠돌던 티끌이나 먼지 등이 지구 중력에 붙잡혀 대기권으로 들어오면서 공기와 부딪혀 불타는 것이다.

2. 원인과 결과를 파악하며 <보기>의 내용을 요약해 봅시다.

**보기**

　별똥별이 그렇게 많이 떨어지는데 왜 쉽게 눈에 보이지 않을까? 별똥별은 낮에는 태양의 밝은 빛 때문에 볼 수 없고 대부분 늦은 밤이나 새벽 시간에나 볼 수 있다. 또 총알보다 빠르게 움직여서 눈으로 볼 수 있는 시간은 길어야 2초에서 3초이고 대부분 1초 사이에 순식간에 떨어진다.

별똥별을 쉽게 보기 어려운 이유는

첫째, _____ 때문이고,

둘째, _____ 때문이다.

# 한국인은 왜 매운맛에 빠질까?

최낙언

한국인의 매운맛 사랑은 유난한 편이다. 매운 라면의 연간 판매량이 8억 개에 이르고, 1인당 연간 고추 소비량이 말린 고추, 고춧가루 등을 합해 3.8킬로그램으로 세계 최고 수준이다. 한국에서 농가 소득에 대한 고추의 경제적 °기여도도 쌀, 돼지, 한우에 이어 4위라고 한다. 채소류 중에서는 경제적 기여도가 1위다. 사실 고추는 소비량 4위인 채소다. 미국, 유럽, 일본 등에서도 소비가 증가하는 추세지만, 우리나라만큼 열렬하지는 않다. 매운 떡볶이, 매운 낙지볶음, 매운 해물찜, 불닭, 불갈비 등 요리에도 끝이 없고 과자, 스낵, 라면 등에도 매운맛이 인기이다.

사실 매운맛은 주기적으로 인기를 끌었다. 특히 경제 불황이 심해지면 매운맛이 인기를 끌기도 한다. 매운맛에는

---

° 기여도: 어떤 일을 이루는 데 이바지한 정도.

뭔가를 화끈하게 풀어 주는 힘이 있다고 느끼는 것 같다. 최근 또다시 식품업계에 '매운맛 열풍'이 불고 있다. 여기에는 기존의 매운맛 열풍과 다른 요소도 추가됐다. 강렬한 매운맛을 주도하는 것은 20~30대의 젊은 층인데, 여기에 유튜브가 *가세해 자극적인 음식을 먹는 방송(먹방)의 인기에 *편승하며 매운맛의 인기를 끌어올리고 있다. 심지어 외국인까지 한국의 매운맛 라면에 도전하는 동영상이 인기이다. 그리고 여기에 맵고 얼얼한 맛의 중국 향신료 마라(麻辣)가 추가됐다. 마라는 지금 외식업계에서 가장 뜨거운 아이템이 됐다.

그렇다면 우리는 왜 그렇게 매운 것을 좋아할까. 왜 고추나 마라와 같은 매운 자극에 열광할까. 우리는 그렇게 맛있는 음식을 좋아하면서 정작 그것을 어떻게 느끼고 왜 맛있다고 느끼는지 잘 모른다. 사실 매운맛의 정체도 제대로 모르고, 고추는 왜 그렇게 매운맛 성분을 많이 갖고 있는지, 우리가 어떻게 고추를 먹기 시작했는지도 잘 모른다.

### 고추의 매운맛은 맛일까? 향일까?

지금 과학자들이 인정하는, 혀로 느낄 수 있는 맛은 단맛, 신맛, 짠맛, 쓴맛, 감칠맛 이렇게 다섯 가지뿐이다. 서양에서는 아리스토텔레스 등이 단맛, 신맛, 짠맛, 쓴맛 이렇게 네 가

---

* 가세하다: 힘을 보태거나 거들다.
* 편승하다: 세태나 남의 세력을 이용하여 자신의 이익을 거두다.

지가 기본 맛이라고 한 것이 1,000년을 이어 오다가, 최근 100년 사이에 감칠맛이 추가되어 다섯 가지가 된 것이다. 과거 우리의 선조는 단맛, 신맛, 짠맛, 쓴맛, 매운맛 이렇게 다섯 가지를 오미(五味)로 생각했는데, 매운맛 대신 감칠맛이 그 자리를 차지한 것이다.

혀에는 유두가 있고 유두에는 미뢰(맛봉오리)가 있다. 미뢰에는 100여 개의 맛세포가 있는데, 맛세포의 섬모에는 맛 *수용체가 많다. 맛 수용체는 단맛, 신맛, 짠맛, 쓴맛, 감칠맛을 느끼는 다섯 가지 종류가 있다. 매운맛을 감각하는 맛 수용체는 없으니 매운맛은 미각이 아닌 것이다. 그럼 고추는 향신료이니 매운맛은 향일까. 맛은 다섯 가지뿐이지만 향은 셀 수도 없이 많다. 사과 향, 딸기 향, 커피 향, 아카시아 향, 장미 향처럼 이름으로 세어도 끝이 없고, 사과 향도 종류에 따라, 숙성 정도에 따라 다르다. 그래서 과학자들은 인간이 구분할 수 있는 냄새의 종류를 1조~10조 가지로 추정한다. 그리고 과거부터 허브나 향신료의 맛 물질을 '에센셜 오일(Essential Oil)'이라고 불렀다. 이 단어에는 향의 특성이 잘 포착되어 있다. 맛 물질은 물에 잘 녹지만, 냄새 물질은 물보다 기름에 더 잘 녹는다. 그래서 요리사들이 허브와 향신료를 기름에 녹여 사용할 때가 있다. 향기 물질은 식물이 신호를 보내거나 벌레 등으로부터 방어할 목적으로 만드는데,

---

* 수용체: 호르몬이나 빛 등에 반응하여 세포 기능에 변화를 일으키는 세포 속에 있는 물질.

지나친 양은 포식자뿐 아니라 식물 자신에게도 부작용을 초래할 수 있다. 즉 독이 될 수 있다는 뜻이다. 그래서 식물은 세포 안에 따로 오일을 격리하기 위해 애를 쓴다. 그 양도 제한적이다. 우리는 식물 중에서 향이 가장 강한 것을 허브나 향신료로 쓰는데, 실제 향기 성분의 양은 1퍼센트 안팎이다. 그만큼 강력하고 귀한 것이라 '에센스(정수)'라고 할 만하다. 그런데 매운맛은 그런 향에 속하지도 않는다.

코에서 후각을 담당하는 곳은 뇌에서 가장 가까운 부분으로, 코로 들어온 공기 전체가 아니라 일부만을 이용하는 구조이다. 코 상단의 후점막 부분은 황갈색을 띠고 있어서 다른 부분과 구별되는데, 작은 동전 크기 정도의 이 부분에 냄새를 맡는 후각 세포가 1,000만 개 정도 밀집돼 있다. 그 후각 세포에 많은 *섬모가 나와 있고, 이 섬모의 막에 냄새를 감지하는 후각 수용체가 1,000개 정도 있다. 만약 후각 세포가 한 종류라면 한 가지 냄새만 구분할 수 있을 텐데, 후각 수용체의 종류는 무려 400가지나 된다. 시각 수용체가 3종, 촉각 수용체가 4종, 미각 수용체가 30종인 것을 감안하면 압도적으로 많은 종류이다. 그래서 이들의 조합으로 1조 개가 넘는 냄새의 차이를 구분할 수 있다. 그런데 매운맛은 이런 후각으로 느끼는 것도 아니다. 바로 혀에 있는 온도 수용체로 감각한다.

---

* 섬모: 세포의 표면에 돋아나 있는 가는 실 모양의 구조.

**매운맛은 뜨거운(Hot) 맛!**

고추, 후추, 생강, 겨자, 서양고추냉이, 와사비, 산초 등은 흔히 '맵다'는 특성을 갖고 있다. 그런데 이들은 미각이나 후각 수용체가 아니라 혀와 피부 등에 존재하는 온도 수용체로 감각하는 자극이다. 우리가 생존하기 위해서는 체온을 유지하는 것이 정말 중요한데, 온도를 감각하기 위해 우리 몸에는 몇 종의 온도 수용체가 있다.

대표적인 것이 15℃ 이하를 감각하는 TRPA1, 25℃ 이하를 감각하는 TRPM8, 33~39℃를 감각하는 TRPV3, 그리고 43℃ 이상을 감각하는 TRPV1이다. 온도 수용체는 생각보다 종류가 적고, 그래서 감각할 수 있는 온도 범위가 15~43℃로 제한적이다.

그런데 이들 수용체가 실수로 온도가 아니라 화학 물질에도 반응하는 것이다. 감각 수용체는 주로 세포막에 존재하는 단백질인데, 형태의 변화로 신호가 만들어진다. 많은 감각 수용체가 특정 °분자와 결합해 형태가 변화되고 신호가 만들어지지만, 완벽하게 그 분자와만 결합하지는 않고 여러 분자에 반응한다. 온도 수용체는 온도에 따라 단백질의 형태가 변하고 그런 특징을 이용해 만들어진 센서인데, 다른 화학 물질과 결합해서 변형되지 말라는 법이 없다. 오히려 완벽하게 온도에 의해서만 반응한다면 그것이 더 부자연스러운 현상일 것이다. 원래 단맛 수용체는 몸속에 흡수되어

---

° 분자: 물질의 성질을 가지고 있는 가장 작은 알갱이.

에너지원이 되는 당류에 반응하도록 설계된 것인데, 실수로 칼로리가 없는 고감미 *감미제에도 반응하는 것처럼 온도 수용체도 실수를 하는 것이다. 우리 몸은 생존에 충분할 정도로 정교하지, 완벽하게 정교하지는 않은 셈이다.

## 서양은 후추, 우리는 고추 선호

중세에 후추 1파운드(약 453그램)면 농노 1명을 살 정도로 비쌌고, 그런 향신료를 마음껏 쓸 수 있다는 것은 대단한 재력과 능력을 갖춘 사람이 자신을 과시하는 가장 효과적인 수단이 됐다. 그래서 향신료가 한창 인기일 때에는 '양념의 광기'라는 표현이 나올 정도로 향신료를 과하게 사용했다. 그렇게 비싼 향신료를 참기 힘들 정도로 강하게 사용할 수 있다는 것은 그만큼 부와 능력이 넘친다는 증거였고, 손님에게는 귀한 대접을 받는다는 느낌을 확실하게 주었다. 이런 향신료 무역을 독점한 베네치아 상인들의 이윤은 실로 어마어마했다. 그래서 모험가들은 엄청난 부를 불러올 향신료의 새로운 공급원을 찾아 모험을 떠났고, 그런 대탐험들이 암흑기의 유럽을 서서히 깨어나게 했다.

이탈리아의 크리스토퍼 콜럼버스(Christopher Columbus)는 후추의 새로운 구입 경로를 확보하기 위해 범선을 타고 항해했다. 1492년에는 본인이 인도라고 착각한 아메리카 대륙(중앙아메리카)에 도착했고, 그곳에서 후추 대신 고추

* 감미제: 단맛을 내는 약.

를 발견했다. 기원전 8,000~7,000년부터 페루 산악 지대에서 재배되던 고추가 콜럼버스 덕분에 유럽에 소개됐지만, 다른 향신료와 같은 인기는 끌지 못했다. 고추는 오히려 아프리카, 인도, 중국 남부 해안, 마카오, 일본의 나가사키, 필리핀 등으로 전파되어 정착되기 시작했다. 그러고 보면 남미 마야 문명이 현대 인류의 식생활에 기여한 것은 아주 많다. 현재 인류가 가장 많이 재배하는 작물인 옥수수의 원산지이기도 하다. 옥수수는 굉장히 경제적인 작물이다. 1년에 50일만 일하면 거둘 수 있다. 마야 문명에서 옥수수는 신들이 사람을 창조했던 원료이며, 자연계 또는 신이 내려 준 신성한 선물로 여겼다. 그래서 옥수수 신이 여러 신 중에서 높은 위치를 차지하고 있다. 그 외에 토마토, 초콜릿, 담배 등이 마야 문명의 선물인데, 용어에 그 흔적이 있다. 토마토(Tomato)는 토마틀(Tomatl)에서, 초콜릿(Chocolate)은 남부 멕시코 인디오들이 카카오 콩에서 짜내는 음료 쇼칼라틀(Xocalatl)에서, 담배(Cigar, Cigarette)는 '빨다'라는 뜻의 마야어 시가(Xigar)에서 각각 유래했다.

그런데 유럽에서는 외국에서 들어온 후추, 담배, 코코아에는 즉시 열광했는데, 왜 고추는 그다지 주목하지 않았을까? 아마 후추에 비해 너무 맵고 향이 부족한 이유가 클 것이다. 서양인은 고기를 많이 먹었고, 고기에는 후추가 잘 어울렸다. 우리는 후추 대신 고추를 사용하다가 최근 고기의 소비가 늘면서 후추의 인기도 높아지고 있다. 그리고 후추는 열매를 간단히 가루로 분쇄해 사용하기 쉬웠는데, 고추는 바로 가루로 만들기 힘들었다. 그래서 고추는 먹기보다는 열매가 열리고 색깔이 바뀌는 모습이 아름답다고 해서 이탈리아 일부 지역에서는 관상용으로 사용했다고 한다.

토마토를 처음에는 관상용으로 사용했던 것과 비슷하다. 우리나라에 고추가 처음 들어왔을 때 처음에는 호초(후추), 천초(초피나무 열매), 겨자, 마늘 등과 함께 매운맛을 내는 양념 중의 하나로 큰 인기는 없었다. 그러다가 *기근과 *격변이 집중된 19세기 초반부터 김치를 담글 때 고추가 본격적으로 쓰이기 시작했고 소비가 크게 늘었다. 기근으로 먹을 것과 소금이 부족해지자, 나라에서는 김치에 소금 대신 고추, 마늘, 파, 젓갈 등의 양념을 많이 쓰라고 적극적으로 권유한 것이다. 이것은 당시 가난한 조선의 민중에게 잘 먹혔다. 소금보다 고추, 마늘, 파 등은 구하기 쉬웠고 저렴했다. 문화 인류학자 아말 나지(Amal Naj)는 "잘사는 사람보다 그렇지 못한 사람이 더 맵게 먹는다. 농부와 노동자는 매운 고추 덕에 매일 먹는 밥의 단조로움을 이겨 낸다."라고 말한 바 있다.

고추는 특히 경제적이었다. 산초와 후추는 구하기 힘들고 고가라 부담스러웠지만, 고추는 재배하기 쉬워서 매운맛을 내는 다른 향신료에 비해 저렴했다. 그리고 고추는 옥수수,

● 기근: 흉년으로 먹을 양식이 모자라 굶주림.
● 격변: 상황 따위가 갑자기 심하게 변함.

콩, 쌀과 같은 순하고 전분이 많은 음식을 주식으로 하는 경우에 잘 어울렸다. 더구나 우리 민족은 향을 그다지 좋아하지 않는 편이다. 고기에 비해 밥은 훨씬 향이 약하기 때문에 향신료도 향이 너무 강하거나 독특한 것이 어울리지 않는다. 우리나라에서는 아직도 향이 약하거나 거의 없는 맥주나 소주가 인기인 것을 보면 알 수 있다. 이런저런 이유로 인해 우리나라에서는 후추보다 고추가 훨씬 인기가 있는 향신료가 됐다.

### 매운맛에 빠져드는 이유

우리가 고추를 먹을 때 즉시 °작열감을 느끼는 이유는, 고추의 캡사이신이 고온을 감지하는 온도 센서인 TRPV1을 활성화시키기 때문이다. 고추뿐 아니라 겨자와 와사비 등 여러 향신료의 특별한 매력을 설명하는 것은 후각보다 온도 감각이다. 대부분의 향신료에는 여러 온도 수용체를 자극하는 물질이 한 가지 이상 들어 있다. 겨자나 와사비의 주성분인 이소티오시아네이트(Isothiocyanate), 마늘의 알리신(Allicin)과 디알릴 디설파이드(Diallyl Disulfide), 시트러스 과일의 시트랄(Citral), 생강의 진저롤(Gingerol), 타임의 티몰(Thymol), 계피의 신남알데히드(Cinnamaldehyde)는 가장 차가운 온도를 감각하는 TRPA1을 자극한다. 그리고 박하의 멘톨(Menthol), 장미의 게라니올(Geraniol), 유칼립투스의

---

° 작열감: 열이 심해지고 콕콕 찌르는 듯한 느낌.

유칼립톨(Eucalyptol)은 시원함을 감각하는 TRPM8을 자극한다. 오레가노(꽃박하), 장뇌, 정향에는 따뜻함을 감각하는 TRPV3을 자극하는 성분이 있다.

향신료는 여러 성분의 합이라 향신료 하나에 몇 종의 온도 수용체를 자극하는 성분이 있고, 마늘의 알리신처럼 차가움을 감각하는 TRPA1과 뜨거움을 감각하는 TRPV1을 동시에 자극하는 성분도 많다. 그런데 가장 차가움을 감각하는 TRPA1과 가장 뜨거움을 감각하는 TRPV1은 뇌에서 연합하는 부위가 많이 겹쳐 잘 구분이 안 되는 감각이기도 하다.

사실 매운맛은 *객기의 맛'이다. 불타는 듯이 빨간 음식은 우리에게 분명 위협적으로 보인다. 그러면서도 유혹적이다. 우리는 왜 눈물 나게 매운 음식을 뻔히 알면서도 먹을까. 더구나 매운맛은 60℃에서 가장 강하게 느껴진다. 맛있기로 소문난 음식점의 매운 음식이 대개 뜨거운 것도 이런 이유에서이다. 그리고 매운 고추를 고추장에 찍어 먹기도 한다. 이렇게 이해하기 힘든 욕망을 설명하는 이론이 '진통 작용론'이다. 캡사이신은 동전의 양면과 같아서 처음에는 통증을 일으키지만, 나중에는 진통 작용을 한다. 사실 매운맛은 뜨겁지 않은 화상이고, 뇌가 만든 가상의 아픔이다. 고추를 먹으면 캡사이신이 TRPV1을 자극하고 TRPV1이 활성화되면 몸은 화상을 입은 것으로 판단한다. 그리고 뇌는 화상의 고통을 덜어 줄 진통 성분인 엔도르핀(Endorphin)을

* 객기: 쓸데없이 부리는 용기.

만들어 내 몸을 위로할 필요가 있다고 결정한다. 그래서 진통 성분이 분비되는데, 실제로는 화상을 입은 것이 아니므로 통증은 금방 사라지고 묘한 쾌감이 남는다. 매우 위중한 상황으로 감각했는데, 실제로는 전혀 위험하지 않기 때문에 화끈거리는 느낌이 사라지면 은근한 시원함이 남는 것이다. 즉, 캡사이신이 진통제인 엔도르핀을 분비하게 해서 우리를 중독에 빠지게 만드는 것이다. 매운맛은 중독이다. 세상에서 제일 쉬운 게 금연이라는 농담처럼, 사람들은 매운 음식을 끊었다가 다시 먹기를 반복한다.

「한국인은 왜 매운맛에 빠질까?」를 읽고 다음 물음에 답해 봅시다.

1. 다음 중 이 글에서 필요한 정보를 얻을 수 있는 사람을 골라 √ 표시를 해 봅시다.

☐ 언제부터 김치에 고추가 본격적으로 쓰였는지 궁금한 정아

☐ 고추가 들어간 배추김치의 발효 과정에 대해 알고 싶은 민한

☐ 세계 고추들의 맵기 순위에서 청양고추는 몇 위인지 궁금한 보라

☐ 매운맛은 왜 뜨거운 음식을 먹을 때 더 잘 느껴지는지 알고 싶은 은지

2. 이 글의 소제목과 관련 있는 문장을 찾아 바르게 연결해 봅시다.

| 소제목 | 문장 |
|---|---|
| 고추의 매운맛은 맛일까? 향일까? | 고추는 저렴하고, 다른 음식과 잘 어울려서 우리나라에서 인기 있는 향신료가 되었다. |
| 매운맛은 뜨거운 (Hot) 맛! | 매운맛은 감각 수용체로 느끼는 맛이다. |
| 서양은 후추, 우리는 고추 선호 | 매운맛은 맛이나 향이 아니다. |
| 매운맛에 빠져드는 이유 | 캡사이신이 진통제인 엔도르핀을 분비하게 해서 우리를 중독에 빠지게 만든다. |

# 나가며

　지금까지 여러 글을 읽으며 요약하기 활동을 해 보았습니다. 「장경판전의 과학적 구조」에서는 '선택'을, 「짜증 나, 건드리지 마!」에서는 '삭제'를, 「계산대에서: 치열한 전쟁이 벌어지는 곳」에서는 '일반화'의 방법을 사용해 보았습니다.

　그리고 「꿀잠을 삽니다」를 읽으며 유형에 따른 글의 구조를 고려하여 내용을 요약했지요. 「인권의 개념」을 읽으면서는 읽기 목적에 따라 글을 선택하며 읽는 연습을 했어요.

　한편 「남극과 북극, 어떤 점에서 다를까?」는 비교-대조 구조를 고려하여, 「부정적인 감정에 사로잡힌 나에게 가장 필요한 것은」에서는 문제-해결 구조를 고려하여, 「별똥별은 과연 별일까?」에서는 인과 구조를 고려하여 내용을 요약했습니다.

　글의 제목과 소제목을 활용하여 요약해 보기도 했습니다. 「한국인은 왜 매운맛에 빠질까?」에서 함께 살펴봤듯이, 각 소제목과 관련된 내용을 뽑아 간추리고 합치면 전체 내용을 간단명료하게 표현할 수 있다는 것도 알게 되었지요.

　요약하기는 단순히 글을 짧게 줄이는 활동이 아니라는 것을 잘 알았겠지요? 앞에서 제시된 요약하기의 다양한 활용법을 열심히 연습했다면, 지금 이 글을 읽고 있는 여러분은 모두 요약의 전문가가 되었을 거예요. 다양한 자료를 읽고 발표할 때, 책을 읽고 내용을 소개할 때, 뉴스를 읽고 화제가 되고 있는 사건들을 친구들에게 전달할 때, 요약하기 능력이 유용하게 사용될 거예요. 앞으로도 여러분이 글을 읽을 때마다 요약하기 전략을 잘 사용하여 글의 내용을 간결하고 체계적으로 이해할 수 있기를 바랍니다.

# 2부

숨은 의미 발견하기

# 추론

# 들어가며

읽기란 무엇일까요? 일반적으로 글에 담긴 의미를 이해하고 이를 통해 글을 쓴 사람과 의사소통하는 과정을 읽기라고 합니다. 그런데 글을 쓰는 과정에서, 글쓴이는 글의 내용을 자세하게 서술하기도 하지만 독자가 이미 알고 있으리라고 생각하는 내용은 생략하기도 합니다. 때로는 의도적으로 글의 주제를 숨겨 놓기도 하지요. 따라서 글쓴이와 글을 통해 원활하게 의사소통하기 위해서는 글에 드러나지 않은 내용을 미루어 생각하는 과정, 즉 **추론**이 필요합니다.

글을 추론하며 읽으려면 어떻게 해야 할까요? 먼저 글에 사용된 단어나 문장, 제목과 같은 정보를 활용해야 합니다. 글쓴이가 사용한 표현의 의미를 곰곰이 생각하다 보면 글쓴이의 의도를 파악할 수 있기 때문입니다. 만약 어떤 현상에 대해 '의심'이나 '골칫거리', '처참한 현실' 등의 표현을 사용했다면, 글쓴이가 그 현상에 대해 부정적으로 인식한다는 것을 엿볼 수 있지요. 또 '육지의 배설물은 바다에 쌓인다.'라는 제목의 글이 있다고 가정해 봅시다. '배설물'과 '쌓인다'라는 표현을 통해 이 글이 바다에 버려지는 쓰레기와 이로 인한 해양 오염에 관련된 내용임을 파악할 수 있습니다. 더 나아가 배설물이 '육지'에서 생겨난 것이기에 해양 오염의 원인이 육지에 사는 인간들 때문이라는 내용이 전개되리라는 것을 짐작할 수 있지요.

자신의 배경지식을 적극적으로 활용하는 것도 추론하며 읽기에 도움이 됩니다. 배경지식이란 글의 내용과 관련하여 내가 이미 알고 있는 지식이나 경험을 의미합니다. 다음 글을 함께 읽어 봅시다.

> 나에게는 꿈이 있습니다. 언젠가 이 나라가 '모든 인간은 평등하게 태어난다는 사실을 우리는 자명한 진리로 받아들인다.'라는 이 나라 건국 신조의 참뜻을 되새기며 살아가리라는 꿈입니다.

이 글은 마틴 루서 킹의 연설문 중 일부입니다. 마틴 루서 킹은 미국의 흑인 인권 운동가랍니다. 그리고 이 연설문이 쓰인 당시의 미국은 유색 인종에 대한 차별이 굉장히 심했다고 해요. 이러한 배경지식을 활용하면, 이 글에서 강조하는 '평등'이 인종 차별과 관련된 것임을 추론할 수 있답니다.

단어와 문장의 의미를 해석하는 것만으로는 글쓴이의 의도를 온전하게 파악하기 어렵습니다. 따라서 추론적 읽기가 필요한 것이지요. 자, 그럼 앞서 살펴본 방법을 활용해서 다양한 분야의 글을 함께 읽어 볼까요?

# 보이는 것이 전부가 아니다

정민

옛날부터 그림과 시는 아주 가까운 사이였다. 시는 모양이 없는 그림이고, 그림은 소리가 없는 시라는 말도 있었다. 이번에는 그림 이야기를 통해 시를 이해하는 공부를 해 보기로 하자.

시인은 자기가 하고 싶은 말을 직접 하지 않는다. 사물을 데려와서 사물이 대신 말하게 한다. 그러니까 한 편의 시를 읽는 것은 시인이 말하고 싶었지만 말하지 않고 시 속에 숨겨 둔 말을 찾아내는 일이다. 이것은 숨은그림찾기 또는 보물찾기 놀이와도 비슷하다.

이 점은 화가도 마찬가지다. 화가는 풍경을 그리거나 정물화를 그린다. 이때 화가는 화면 속에 자신의 느낌을 직접 표현할 수가 없다. 그림은 사진과 다르다. 화가는 색채나 풍경의 표정을 통해 자기 생각을 담는다.

이제부터 살펴볼 몇 가지 이야기는 그림이 시와 얼마나 가까운 사이인지 잘 보여 준다.

옛날 중국의 송나라에 휘종 황제란 분이 있었다. 그는 그림을 너무 사랑했다. 그림을 사랑했을 뿐 아니라 그 자신이 훌륭한 화가였다. 휘종 황제는 자주 궁중의 화가들을 모아 놓고 그림 대회를 열었다. 그때마다 황제는 직접 그림의 제목을 정했다. 그 제목은 보통 유명한 시의 한 구절에서 따온 것이었다. 한번은 이런 제목이 걸렸다.

꽃을 밟고 돌아가니 말발굽에서 향기가 난다.

말을 타고 꽃밭을 지나가니까 말발굽에서 꽃향기가 난다는 말이다. 그러니까 황제는 화가들에게 말발굽에 묻은 꽃향기를 그림으로 그려 보라고 한 것이다. 꽃향기는 코로 맡아서 아는 것이지 눈으로는 볼 수가 없다. 보이지도 않는 향기를 어떻게 그릴 수 있을까? 화가들은 고민에 빠졌다. 꽃이나 말을 그리라고 한다면 어렵지 않겠는데, 말발굽에 묻은 꽃향기만은 도저히 그려 볼 수 없었다.

모두가 그림에 손을 못 대고 쩔쩔매고 있었다. 그때였다. 한 젊은 화가가 그림을 제출하였다. 사람들의 눈이 일제히 그 사람의 그림 위로 쏠렸다. 말 한 마리가 달려가는데 그 꽁무니를 나비 떼가 뒤쫓아 가는 그림이었다. 말발굽에 묻은 꽃향기를 나비 떼가 대신 말해 주고 있었다.

젊은 화가는 말을 따라가는 나비 떼로 꽃향기를 표현했다. 이런 것을 한시에서는 '입상진의(立像盡意)'라고 한다. 이 말은 '형상을 세워서 나타내려는 뜻을 전달한다.'라는 뜻이다. 다시 말해 나비 떼라는 형상으로 말발굽에 묻은 향기를 충분히 전달할 수 있다는 것이다. 여기서 말하는 형상을 시에서는 이미지(Image)라는 말로 표현한다. 시인은 결코 직접 말하지 않는다. 이미지를 통해서 말한다. 그러니까 한 편의 시를 읽는 것은 바로 이미지 속에 담긴 의미를 찾는 일과 같다.

다시 휘종 황제의 그림 대회 이야기를 하나 더 해 보자. 이번에는 이런 제목이 주어졌다.

어지러운 산이 옛 절을 감추었다.

절을 그려야 하지만 감춰져 있어야 한다고 했기 때문에, 이번에도 화가들은 고민에 빠졌다. 어떻게 그려야 할까?

한참을 끙끙대다 화가들은 그림을 그렸다. 그림은 대부분 산을 그려 놓고, 그 숲속 나무 사이로 절집의 지붕이 희미하게 비치거나, 숲 위로 절의 탑이 삐죽 솟아 있는 풍경이었다. 황제는 불만스러운 표정으로 앉아 있었다.

그때 한 화가가 그림을 제출했다. 그런데 그가 제출한 그림은 다른 화가의 것과 달랐다. 우선 화면 어디에도 절을 그리지 않았다. 대신 깊은 산속 오솔길에 웬 스님 한 분이 물동이를 이고서 올라가는 모습을 그려 놓았을 뿐이었다.

황제는 그제야 흡족한 표정이 되어 이렇게 말했다.

"이 화가에게 1등 상을 주겠다."

사람들이 고개를 갸우뚱했다. 황제가 설명했다.

"자! 이 그림을 보아라. 내가 그리라고 한 것은 산속에 감춰져 보이지 않는 절이었다. 보이지 않는 것을 그리라고 했는데, 다른 화가들은 모두 눈에 보이는 절의 지붕이나 탑을 그렸다. 그런데 이 사람은 절을 그리는 대신 물을 길으러 나온 스님을 그렸구나. 스님이 물을 길으러 나온 것을 보니, 근처에 절이 있는 것을 알 수 있다. 그런데 산이 너무 깊어서 절이 보이지 않는 게로구나. 그가 비록 절을 그리지는 않았지만, 물을 길으러 나온 스님만 보고도 가까운 곳에 절이 있다는 것을 알 수 있지 않겠느냐? 이것이 내가 이 그림에 1등을 주는 까닭이다."

사람들은 그제야 황제의 깊은 뜻을 알아차리고 고개를 끄덕거렸다. 이 화가는 절을 그리지 않으면서 절을 그리는 방법을 알았다. 화가가 그리지 않으면서 절을 그렸다. 시인은 말하지 않고서 자기가 말하고 싶은 것을 말한다. 따지고 보면 하나도 다를 것이 없다.

이제 위의 그림과 비슷한 한시를 한 수 감상해 보자.

약초 캐다 어느새 길을 잃었지
천 봉우리 가을 잎 덮인 속에서.

산 스님이 물을 길어 돌아가더니
숲 끝에서 차 달이는 연기가 일어난다.

율곡 이이 선생의 「산속」이란 작품이다. 단풍이 물들고 나더니 어느새 낙엽이 수북이 쌓였다. 어떤 사람이 *망태기를 들고 낙엽 쌓인 산속에서 약초를 캔다.

여름에는 잘 보이지 않던 약초가 낙엽을 들추자 여기저기서 제 모습을 드러낸다. 보통 때는 볼 수 없던 귀한 약초들도 많다. 정신없이 약초를 캐다 보니, 어느새 깊은 산속으로 들어와 버렸다. 정신을 차려 보니 길에서 한참이나 들어온 가을 산속이다. 낙엽은 어느새 무릎까지 쌓여 오고, 조금 전 내가 올라온 길이 어딘지조차 알 수가 없다.

약초꾼은 그만 덜컹 겁이 난다. 어느새 해도 뉘엿뉘엿해졌다. 어서 빨리 집으로 돌아가야겠는데 어디가 어딘지 도무지 방향을 알 수가 없다. 덮어놓고 내려가다가 낭떠러지가 나오면 어쩌나? 길을 잘못 들어 전혀 엉뚱한 방향으로 가면 어쩌지? 이러다가 밤이 되면 산짐승들이 내려올 텐데 어찌할까?

이러지도 저러지도 못하고 있을 때였다. 저 건너편 숲 사이로 희끗 사람의 그림자가 보인다. 하도 반가워 자세히 살펴보니 웬 스님 한 분이 물동이에 물을 길어 가고 있다. 스님의 모습은 금세 숲 사이로 사라지고 말았다. 저리로 가면 스님이 계신 암자가 나올까? 혹시 나오지 않으면 어떡하지?

* 망태기: 새끼나 노끈으로 성기게 만들어 물건을 담아 나르는 주머니.

짧은 시간에도 생각은 어지럽기만 하다.

바로 그때다. 스님이 사라진 숲 저편 너머로 연기가 모락모락 피어오른다. 좀 전에 물을 길어 간 스님이 낙엽을 태워 찻물을 끓이고 있는 모양이다. 약초꾼은 모락모락 피어오르는 연기가 구세주라도 만난 듯이 반가웠겠다. 마치 스님이 약초꾼의 다급한 마음을 알아서 *신호탄을 쏘아 올린 듯한 느낌까지 들었을 것 같다. 갑자기 목이 마르다. 어서 가서 스님에게 차 한 잔을 얻어 마셔야지. 하루 종일 캔 약초로 망태기는 이미 묵직하다. 하지만 발걸음이 가벼워져서 무거운 줄도 모른다. 무릎까지 푹푹 파묻히는 숲길도 이제는 조금도 힘들지 않다.

이 시를 그림으로 그리면 어떻게 될까? 낙엽 쌓인 산속에 망태기를 든 약초꾼 한 사람이 먼 곳을 보며 서 있겠지. 스님의 모습은 그리면 안 된다. 다만 숲 저편으로 실오리 같은 연기가 모락모락 하늘 위로 피어오르면 된다. 앞서 본 휘종 황제의 그림 이야기와 비슷하지 않은가?

정말 소중한 것은 눈에 잘 보이지 않는다. 눈에 보이는 것이 전부가 아니다. 뛰어난 화가는 그리지 않고서도 다 그린다. 훌륭한 시인은 말하지 않으면서 다 말한다. 좋은 독자는 화가가 감춰 둔 그림과 시인이 숨겨 둔 보물을 가르쳐 주지 않아도 잘 찾아낸다. 그러자면 많은 연습과 훈련이 필요하다.

---

* 신호탄: 군대에서 신호를 보낼 때 쏘는 총탄. 총탄이 터질 때 나는 빛이나 연기를 신호로 삼는다.

「보이는 것이 전부가 아니다」를 읽고 다음 물음에 답해 봅시다.

1. 이 글에 등장하는 다음 소재 중 '입상진의'와 서로 의미가 통하는 것을 모두 골라 ○ 표시를 해 봅시다.

> 말발굽   나비 떼   절   약초꾼   차를 끓이는 연기

2. 다음은 신라 선덕 여왕에 관련된 일화입니다. 글쓴이와 선덕 여왕에게서 공통적으로 나타나는 작품 감상 태도는 무엇인지 생각해 봅시다.

> *진평왕이 당나라에서 보내온 모란꽃 그림을 *덕만에게 보였더니, 덕만이 이렇게 말하였다.
>
> "이 꽃은 비록 아주 아름답기는 하지만 반드시 향기가 없을 것입니다."
>
> 임금이 웃으며 말하였다.
>
> "네가 그것을 어찌 아느냐?"
>
> 덕만이 대답하였다.
>
> "꽃을 그렸으나 나비와 벌을 그리지 않았기에 그것을 알았습니다. 이 꽃은 무척 아름다운데도 그림에 벌과 나비가 없으니, 이것은 분명히 향기가 없는 꽃일 것입니다."
>
> ---
>
> • 진평왕: 선덕 여왕의 아버지.
> • 덕만: 선덕 여왕의 이름.

자기 말만 맞다고 우기는 사람들의 사고방식과 행동 양상을 분석한 글을 읽으며 '우기기 대왕들'과 잘 지내는 방법에는 무엇이 있는지 알아봅시다.

# 자기 말만 모두 맞는다는 사람의 심리

김경일

"거봐, 내 말이 맞지?", "내 얘기가 다 맞다니까." 이런 말을 습관처럼 입에 달고 다니는 사람들이 있습니다. 이들은 자기가 틀렸을 때도 절대 인정하지 않습니다. 급기야 "제대로 확인해 보면 내가 맞을걸?" 하며 계속해서 우깁니다. 심지어 잘 모르는 것도 다 안다고 우깁니다. 듣기만 해도 속이 답답하지만, 주변에 이런 사람이 꼭 1명쯤은 있지요. 막무가내로 우겨 대서 나중에는 말도 섞기 싫어지는 이 사람들의 심리는 뭘까요?

## 자기 말만 맞다고 우기는 사람의 심리

첫째, 아는 게 없는 사람일수록 자기 말이 맞다고 더 우

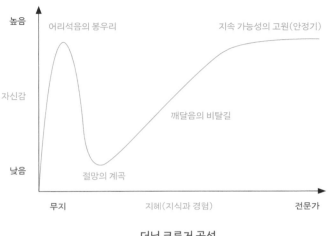

**더닝 크루거 곡선**

깁니다. 이는 많은 연구를 통해 입증된 사실이기도 합니다. 심리학 용어 가운데 °인지 편향 중 하나로 '더닝 크루거 효과(Dunning Kruger Effect)'라는 것이 있습니다. 지식 수준이 낮은 사람일수록 자신의 능력을 과대평가하는 현상을 가리키는 말입니다.

책을 아예 안 읽은 사람보다 책 1권 읽고 알은척하는 사람이 더 무섭다고 하지요? 책 1권 읽고서 알게 된 그것만 믿기 때문입니다. 당신 주변의 그 사람이 계속해서 우기는 것도 아는 게 많지 않고 °편협하기 때문일 수 있습니다.

둘째, 자기 자신과 비슷한 성향의 사람들만 만나는 사람

---

● 인지 편향: 사람이 경험을 바탕으로 어떤 상황에 대해 비논리적인 추론을 함으로써 잘못된 판단에 이르는 것을 말한다.

● 편협하다: 한쪽으로 치우쳐 도량이 좁고 너그럽지 못하다.

이 우기는 경우가 더 많습니다. 자기 생각에 대한 확신이 너무 강해서 어떤 말을 해도 생각을 바꾸지 못하는 사람들의 특징이 바로 누군가를 설득하는 과정에서 자기랑 비슷한 사람만 설득한다는 것입니다.

스페인 마드리드 아우토노마 대학교의 심리학자인 파블로 브리뇰(Pablo Briñol)은 실제 이를 주제로 연구를 진행했습니다. 이 연구에서는 두 가지 종류의 집단 중 하나를 설득하게 합니다. 첫 번째 집단은 어떤 주장에 대해서 나와 원래부터 같은 입장을 가진 사람들입니다. 이 집단을 '동일 주장 집단'이라고 합니다. 그리고 두 번째 집단은 나의 주장과는 무관한, 전혀 다른 측면(정치적 입장이나 장애인 정책 등)에서 비슷한 성향을 지니는 사람들입니다. 이 집단을 '유사 성향 집단'이라고 합니다.

재미있는 것은 설득 과정을 살펴봤더니, 동일 주장 집단과 유사 성향 집단 중 어느 집단을 설득했느냐에 따라 자기 확신의 증가 정도에 차이가 있더라는 겁니다. 결론부터 말하면 유사 성향 집단을 설득하는 일을 하고 난 뒤에 자기 확신이 훨씬 더 크게 증가합니다.

다시 말해, 유사 성향 집단이 내 의견에 동의하지 않는다는 건 거의 기억하지 않고, 사소하게라도 내 주장이나 설득에 동의했던 것만 기억하면서 나와 비슷한 사람들은 나와 같은 생각을 가질 거라는 자기 확신만 키워 간다는 것입니다. 결국 이 실험을 통해 알 수 있는 사실은 학연, 혈연, 지연 등의 유사성을 중시할수록 자기 생각을 잘 바꾸지 않는 다는 것입니다.

### 지는 법을 모르는 그 사람, 같은 편이라는 걸 알려 주세요

자기 말만 맞는다고 우기는 사람들은 사실 지는 법을 모 르기 때문에 우기는 것입니다. 이렇게 지는 법을 모르는 사 람일수록 대화를 대화로 보지 않고 승부로 여길 가능성이 큽니다. 승부는 승자와 패자로 나뉘기 마련인데, 우기기 대 왕들은 대화에서 밀리지 않고 '결국 내가 승자가 되어야 한 다.'라는 *강박이 강합니다.

따라서 이런 사람들과 원활하게 대화하려면 내가 *대척점 이 아니라 같은 편에 서 있다는, 같은 부류라는 생각을 심어 줄 필요가 있습니다. 이를 전문 용어로 '대화의 마사지'라고 합니다. 몸의 긴장을 풀기 위해 마사지를 하듯, 대화의 긴장도 를 낮추어서 심리적으로 비슷한 효과를 보게 하는 것이지요.

그렇다면 어떻게 해야 우기는 사람에게 같은 편이라는 인 식을 심어 줄 수 있을까요? "나는 당신과 같은 편입니다." 라고 말한다고 해서 상대는 믿지 않습니다. 오히려 '이 시 점에 왜 저런 말을 굳이 하는 거지?' 하고 의심받기 십상이 겠지요. 그러니 무언의 시그널을 줘야 됩니다. "어? 우리 재

• 강박: 어떤 생각이나 감정에 사로잡혀 마음이 압박을 느낌.
• 대척점: 지구 중심을 사이에 두고 서로 반대쪽에 있는 곳.

킷이 되게 비슷하네요!", "와, 나도 이 캐릭터 좋아하는데!"
이렇게 사소한 것이라도 취향이 같다는 걸 어필하는 것이
더 좋은 시그널이 될 수 있습니다.

회사에서 무조건 우기는 사람이 동창회에 가서는 전혀 그
런 모습을 보이지 않는 걸 본 적이 있습니다. 반대로 동창회
에서 만나면 자기 말만 맞다고 우기는 녀석이 회사 동료
들에게는 전혀 다른 평을 듣는 것도 보았고요.

그 사람이 어떤 모임 또는 조직에서만 우기는 경향이 강
하다면, 그에게는 그곳이 전쟁터일 수 있습니다. 모든 장면
에서 매번 죽어라 우기는 사람은 의외로 많지 않습니다. 그
렇다면 언제 우기냐고요? 어디에도 속할 수 없을 때입니다.

만약 누군가 당신한테 와서 계속 우긴다면, 그건 당신이
그를 지게 했을 가능성이 높습니다. 자신도 모르는 사이에
그를 패자로 만들고, 지는 대화라고 생각하도록 했기 때문
에 그런 일이 자꾸 벌어지는 것이지요. 그러니 상대를 우기
기 대왕에서 벗어나게 하고 싶다면, 그를 심리적인 승자로
만들어 줘야 합니다.

### 상대를 인정해 주면 우기는 경향이 줄어든다

고려대학교 심리학과 허태균 교수는 한국인의 행동 속에
숨겨진 심리를 재미있는 연구를 통해 알려 주는 것으로 유
명합니다. 그에 따르면, 한국인의 '한턱' 문화도 외국인의
눈으로 보면 그 속에 숨은 의외의 본질을 발견할 수 있다고

합니다.

그래서 저도 한국 학생들을 가르친 지 2, 3년쯤 되는 외국인 교수에게 '한턱낸다.'라는 말을 아느냐고 물어봤습니다. 그랬더니 "한국인들은 한턱내려고 사는 사람들 같다."라고 하더라고요. 그러면서 처음에는 '오늘 밥값이든 술값이든 내가 다 낸다.'라는 뜻으로만 생각했는데, 알고 보니 '오늘 내가 주인공이니까 아무도 내 주인공 자리를 빼앗지 말라.'는 뜻을 담고 있더라는 말을 했습니다.

한턱내는 분들이 그 자리에서 어떤 행동을 보이는지를 유심히 살펴보면, 너그러워지는 걸 볼 수 있을 겁니다. 우기기 대왕이라 해도 주인공이 되면 그 판을 깨지 않기 위해 "그럴 수 있지." "맞아." 하며 자신과 다른 생각도 받아 줍니다. 꼭 한턱을 내게 해야 한다는 말이 아닙니다. 그 사람을 주인공으로 만들어 줄 필요가 있다는 겁니다. 그렇게 그 자리의 주인공, 심리적 승자로 만들어 주었는데도 계속 우긴다면, 그것은 그 사람한테 심각한 문제가 있을 가능성이 큽니다.

어떤 사람이 우기기 대왕이라면 또는 그 사람을 우기기 대왕이라고 *낙인찍고 싶다면 그 전에 한번쯤 스스로를 돌아보기 바랍니다. 속한 모임이나 조직, 대화에서 그 사람을 계속해서 패배자나 조연으로 만들지 않았는지 말이지요. 우기는 사람으로 남지 않게 하려면 어느 정도 그 사람을 인정해 줘야 합니다. 한 부분에서 그 사람을 인정해 주면 무관한

* 낙인찍다: 벗어나기 어려운 부정적 평가를 내리다.

다른 분야에서도 우기는 경향이 줄어들 겁니다.

꽝장히 노련한 서비스직 종사자들이 우기는 고객을 어떻게 다루는지 아시나요? 먼저 "사장님(사모님)께서 옷이라면 정말 안목이 있으시잖아요."라고 그 사람이 가진 능력을 인정해 줍니다. 그러고 나서 자신이 하고 싶은 말을 합니다. 그러면 상대도 그가 하는 것을 조언이라고 받아들입니다.

우기기 대왕이 회사 부장님이라면 "부장님이 이 문제에 대해서 최고 권위자시잖아요." 하고 먼저 치고 들어가는 겁니다. 여기에는 당신이 최고 권위자이니 여러 의견을 존중하고 취합해야 한다는 속뜻이 깔려 있습니다. 이렇듯 그 사람의 다른 무언가를 인정해 줘야만 우기기를 그만두게 할 방법도 보일 것입니다.

더 알아보기

### 열등감과 자기애

열등감은 다른 사람과 비교했을 때 자신이 뒤떨어졌거나 능력이 없다고 느끼는 감정이다. 열등감에 빠진 사람은 자기 자신을 무능하고 무가치한 존재한 존재로 여긴다. 자기애는 자신을 사랑하는 마음으로, 적당한 자기애는 건강하고 높은 자존감을 갖도록 도와준다. 하지만 어릴 때 자기애적 욕구가 심하게 좌절되었을 경우 자기애적 성격 장애로 이어질 수 있다.

## 정답이 하나라고 가르치는 학교, 대답을 강요하는 사회

사실 저는 자기 말만 맞는다고 우기는 일이 *만연하고, 우기기 대왕들이 넘쳐난다면 그것은 개인의 문제라기보다 사회적 문제일 수 있다고 생각합니다. 자기 말이 틀릴 수 없다고 생각한다는 것은 다양한 가치를 인정하기 힘들다는 뜻입니다. 그리고 그런 사람들은 *은연중에 답이 하나라고 생각하기 쉽습니다. 정답이 하나이니, 내가 생각한 답이 정답이면 남의 것은 오답일 수밖에 없습니다. 그러니 당연히 인정할 수 없겠지요.

정답이 하나라고 생각하는 사람들의 특징을 보면 답은 의외로 간단한 데서 찾을 수 있습니다. 어렸을 때부터 그렇게 교육을 받은 것입니다. 한국인의 특징이라기보다는 한국 교육의 부작용 중 하나라고 보는 게 타당하겠지요. 그런데 교육은 그 시대의 보편적 요구를 반영합니다. 사회가 정답이 하나라고 생각하면, 교육도 그것을 따라갈 수밖에 없지요. 그러니 이 현상은 보다 근본적으로 뜯어보면 사회 문제라고 볼 수 있는 것입니다.

답이 하나라고 생각하는 사람들은 비합리적인 신념을 가지고 있습니다. 그들은 답이 여러 개인 것을 견디지 못할 뿐

---

* 만연하다: 전염병이나 나쁜 현상이 널리 퍼지다. 식물의 줄기가 널리 뻗는다는 뜻에서 나온 말이다.
* 은연중: 남이 모르는 가운데.

아니라 여러 개의 답을 생각하는 것도 고통스러워합니다. 이런 사람들을 가리켜 심리학자들은 '생각을 즐기지 않는 사람'이라고 말합니다. 빨리 답을 해야 보상을 받았던 사람이 자기 생각을 바꾸지 못하는 사람이 돼 버린 것이지요.

가령 회의 시간에 질문을 던졌는데 "곰곰이 생각해 볼 수 있게 시간을 좀 주십시오."라고 하면 아마도 비난을 피할 수 없을 겁니다. 또 아이에게 뭘 물어봤는데 바로바로 답이 나오면 "아이고, 똑똑해."라고 칭찬을 합니다. 이렇듯 바로 대답하지 않는다고 해서 비난하고, 빨리 대답하면 칭찬하는 우리 사회가 우기기 대왕을 만드는 것입니다.

＊심사숙고하고 고민에 빠지는 것을 싫어하는 사회적 분위기가 바뀌지 않는 이상 자기만 맞다고 우기는 사람의 수를 줄이기는 어렵겠지요. 속도를 강조하고 '빠른 게 좋은 것'이라는 생각에 집착하는 사회 분위기를 바꾸지 않는 한 우리는 계속해서 이런 어려움 속에서 살아갈 수밖에 없습니다. '왜 저 사람은 맨날 우겨 댈까?'라는 내 주변의 문제로 출발했지만, 사실 우리 사회 전체의 문제는 아닌지 긴 시간을 두고 함께 고민해 보았으면 합니다.


대화를 할 때 우리는 늘 무언가 의견을 내기를 원합니다. 하지만 '의견 없음'도 '의견'이라는 것을 받아들여야 합니다. 어떤 사안에 대한 의견을 물을 때 '찬성하는 입장'과 '반

---

＊ 심사숙고하다: 깊이 잘 생각하다.

대하는 입장'만 있다면 자기 의견을 꼭 말해야 합니다. 그런데 설문 조사를 할 때 '찬성', '반대', '의견 없음'을 물으면, '의견 없음'이 훨씬 더 높은 비율로 나올 때가 많습니다.

그 순간 자기의 의견이 없지만 한쪽을 선택해야 할 때 우기는 모습을 보이는 사람도 많습니다. 그러니 사람들과 대화할 때는 의견이 있는가를 먼저 물어보는 것이 좋습니다. 이때 잊지 말아야 할 것은 의견이 없다고 해도 그 또한 하나의 의견이라고 인정해 줘야 한다는 것입니다. 그러고 나서 상대가 우기지 않고 자기 생각을 소신 있게 말할 수 있는 다른 주제로 넘어가면 됩니다.

「자기 말만 모두 맞는다는 사람의 심리」를 읽고 다음 물음에
답해 봅시다.

1. 이 글의 글쓴이가 생각하는 바람직한 소통 방법에 해당하는 것을 모
   두 골라 √ 표시를 해 봅시다.

   ☐ 자신과 성향이 다른 사람들을 만나 본다.
   ☐ 상대에게 "우린 같은 편이야!"라고 말한다.
   ☐ 나와 상대방의 비슷한 점을 찾아내 이야기한다.
   ☐ 자기 의견이 없더라도 어느 한쪽을 무조건 선택한다.
   ☐ 상대방의 의견이 옳거나 그른지 분명하게 짚어 준다.

2. 다음 대화에서 종협이 상황을 부드럽게 만들려면 어떤 방법을 써야
   할지 생각해 봅시다.

   소현: 국어 수업 3교시 맞지?
   종협: 아니, 오늘 국어 수업은 2교시인데?
   소현: 야! 나 시간표 외웠단 말이야. 넌 외웠어? 말해 봐!
   종협: 아니, 그건 아니지만, 가방 챙기며 확인했는데 2교시가 확
        실했는데…….
   소현: 3교시가 확실해. 내가 맞다니까 글쎄. 뭐야, 너 내 말 못 믿
        는 거야?

# 옷이 환경이랑 무슨 상관?

이주은

### 우리가 매일 입는 옷이 환경 오염의 주범?

친구들은 옷을 얼마나 자주 사? 평소에 교복을 입으니까 옷장에 옷이 별로 없다고 대답하는 친구들도 있을 것 같아. 나는 계절이 바뀔 때마다, 옷장에 도통 입을 게 없다는 생각이 들 때마다 옷을 사곤 했어. 그러다 한번은 옷에 된통 당하고 말았지. 다른 집으로 이사하게 되어 짐을 정리하는데 옷이 산더미같이 나오는 거야. 그중에는 왜 샀는지 기억이 안 나거나 언제 마지막으로 입은 건지 까마득한 옷들이 많았지. 그걸 다 정리하느라 며칠이나 애를 먹었는지 몰라.

더 이상 필요 없어진 옷들을 아무 생각 없이 의류 수거함에 버리려던 차에, 문득 이렇게 버려진 옷들은 어디로 갈지 궁금해졌어. 그간 옷을 살 때는 가격이나 소재, 디자인을 꼼꼼히 따져 보고 고민하면서도 정작 이 옷이 어떤 과정을 거처 내 손에 들어왔는지, 버려진 후에는 어떤 일이 일어나는지 생각해 본 적이 없다는 걸 깨달았지. 의류 폐기물에 관한 각종 기사와 다큐를 찾아보던 나는 큰 충격을 받았어. 버려진 옷들이 환경 오염의 주범이 된다는 사실을 알게 된 거야. 심지어 옷이 만들어지는 과정에서부터 환경에 미치는 악영향이 심각하다는 사실을 깨닫고 더욱 놀랐지. 대체 옷이 환경이랑 무슨 상관인지 잘 모르겠다고?

### 환경 파괴로 이어지는 옷의 여정

인간은 태어날 때부터 죽을 때까지 옷과 함께 살아가. 지금 이 순간에도 세계 각지에서 새로운 옷들이 마구 쏟아지고 있지. 지구에서 한 해 동안 만들어지는 옷은 무려 1,000억 벌에 이른다고 해. 우리가 입는 옷은 섬유로 만드는데 이는 천연 섬유와 합성 섬유로 나눠어. 대표적인 천연 섬유로 면이 있어. '천연'이라는 말이 붙었으니 친환경적이라고 생각하면 오산이야. 면의 원료는 목화인데, 이 목화를 생산하기 위해 전 세계 농약의 10퍼센트, 살충제의 25퍼센트가 사용되거든. 방대한 목화밭에 농약을 살포하는 과정 중 토양과 공기가 오염될 뿐만 아니라, 매년 2만 명의 사람들이 농약 중독으로 죽고 있지.

그렇다면 합성 섬유는 어떨까? 합성 섬유는 대부분 석유를 기반으로 만들어지는데, 이를 얻는 과정에서 엄청난 양의 이산화 탄소가 배출돼. 합성 섬유 중 하나인 폴리에스터의 경우 면직물에 비해 이산화 탄소 발생량이 두 배가 넘지. 합성 섬유로 이뤄진 옷은 재활용되지 못하고 대부분 매립되거나 소각된다고 해. 전 세계적으로 매년 9,200만 톤의 의류 폐기물이 쏟아지는데, 이 중 대다수가 합성 섬유로 만들어진 탓에 재활용 비율은 12퍼센트에 불과하지. 옷을 생산할 때도, 소각할 때도 온실가스를 내뿜는 바람에 전 세계 온실가스 배출량의 약 1퍼센트가 패션 산업에서 나올 정도야.

옷을 만들 때 엄청난 양의 물이 필요하다는 사실을 알고 있니? 일례로 청바지 하나를 만드는 데 약 7,000리터에 가까운 물이 사용된다고 해. 이는 4인 가족이 일주일 정도 사용할 수 있는 물의 양과 맞먹지. 옷을 제조하는 과정에서 다양한 염료와 표백제 등이 사용되는데 이로 인한 수질 오염 문제도 심각해.

한편 옷장에서 퇴출당한 옷들은 의류 수거함이나 종량제 봉투에 담겨 쓰레기로 버려지는데, 이 옷들은 수거업자를 통해 재판매되거나 외국으로 수출돼. 인도네시아, 캄보디아, 가나 등은 세계 최대의 헌 옷 수입국으로 꼽히는데, 이들 나라는 세계 각지에서 수입된 의류 쓰레기로 인해 몸살을 앓고 있어. 일부는 자국 시장에서 판매되지만 워낙 많은 옷이 쏟아지다 보니 상당량은 매립장으로 직행하거나 강에 버려지지. 최근 한 다큐멘터리에 의류 폐기물이 높이 쌓여 쓰레기 산을 이룬 가나의 모습이 등장해 충격을 주기도 했어. 이렇게 버려진 옷들에서 발생하는 악취와 유독한 화학

**환경 오염의 주범이 된 의류 폐기물**

성분은 환경을 오염시키는 원인이 되고, 결국 그 피해는 인간에게 고스란히 돌아오지. 이런 이유로 패션 산업이 일으킨 환경 오염을 지적하는 목소리가 높아지고 있어.

### 지속 가능한 패션을 위해

패션 브랜드의 주요 소비층인 젊은 세대가 패션 산업이 환경에 미치는 악영향에 문제의식을 갖기 시작하자 의류 브랜드들의 고민도 늘고 있어. 기업들은 친환경·리사이클 섬유로 만든 옷, 신발, 가방 등을 앞다투어 출시하고 있지. 이렇게 만들어진 옷은 정말 친환경적일까? 유기농 면은 친환경 섬유의 대표적인 예야. 농약이나 화학 비료를 최소 3년 이상 사용하지 않은 땅에서 재배한 목화를 수확해 만든 것이지. 기존 섬유보다 환경 오염을 어느 정도 줄일 수는 있겠지만, 여전히 한계를 지니는 건 사실이야. 목화 재배를 제외하고 옷을 가공하는 방식 등은 다른 의류를 만들 때와 같아, 환경에 미치는 악영향이 아예 없지는 않거든. 또 유기농 면으로 만든 옷은 비용이 만만치 않아서 소비자들이 지속적으로 구매하기에도 쉽지 않고.

리사이클 섬유로 만든 제품 역시 문제가 많아. 주로 페트병 같은 폐플라스틱을 가공해 옷을 만드는 경우가 많은데, 이를 세탁할 때마다 미세 플라스틱이 배출되기 때문이야. 사실 천연 섬유로 만든 게 아닌 이상 대부분의 옷을 세탁할 때 마찰로 인해 수십만 개에 달하는 미세 플라스틱이 나와. 눈에 보이지 않을 정도로 입자가 작은 미세 플라스틱은 배수관을 타고 바다로 흘러간 뒤 해조류·어류 같은 해양 생물에 쌓이고, 결국 우리 식탁으로 돌아오는 악순환을 낳지. 유럽에서는 새롭게 출시되는 세탁기에 미세 플라스틱 필터를 의무적으로 장착하는 법안을 마련하는 등 발 빠르게 대응에 나서고 있어. 우리나라는 관련 문제를 법으로 해결 및 예방하려는 움직임이 미흡한데, 우리 같은 소비자가 더욱 경각심을 갖고 목소리를 내야 해.

## 해답은 가치 소비에 있다

결국 근본적인 문제는 옷이 너무 과다하게 생산되고, 소비되고, 버려진다는 거야. 그럼 이 문제를 해결하기 위해 우리는 일상에서 어떤 노력을 기울일 수 있을까? '가치 소비'라고 들어 봤어? 자신의 신념과 가치관에 맞는 물건이라면 아무리 비싸도 과감히 소비하고, 물건 하나를 사더라도 가격이나 만족도 등을 꼼꼼히 따져 합리적으로 소비하는 방식을 말해. 환경을 생각하는 가치 소비가 늘어나면 소비자의 목소리에도 힘이 실릴 거야. 옷을 구매할 때도 미리 원칙을 세우면 더 잘 소비할 수 있단다. 아래에서 그 방법을 자세히 살펴볼까?

### ① 옷 사기 전에 구매 이유 생각해 보기

이 옷을 왜 사고 싶은지 스스로 이유를 물어보는 거야. 그냥 예뻐서, 아니면 유행이라 한번 입어 보고 싶어서? 정말 이 옷이 나에게 꼭 필요한지 마음의 소리를 읽어 보자. 불필요한 소비를 줄일 수 있을 거야.

### ② 충동구매하지 않기

갖고 싶은 옷이 생겼을 때 바로 구매하지 말고 집에 돌아와서 충분히 고민해 보자. 이 옷을 얼마나 오래 입을 수 있을지, 집에 있는 옷과 코디하기 수월한지 등 다방면으로 생각해 보는 거야. 적어도 3번 이상 고민한 후에 구매하면 싫증 나지 않고 오랫동안 입을 수 있는 옷, 유행을 덜 타는 옷을 만날 수 있어.

### ③ 중고 거래 이용하기

필요한 옷을 중고 거래 사이트에 검색해 보면 어떨까? 요즘은 상표만 뗀 새 상품이나, 몇 번 쓰지 않아 깨끗한 물건을 중고로 내놓는 경우가 참 많아. 이를 찾아보는 재미를 느끼면 좋겠어. 멀쩡하고 훌륭한 옷을 돈까지 절약하며 살 수 있으니 얼마나 좋아?

「옷이 환경이랑 무슨 상관?」을 읽고 다음 물음에 답해 봅시다.

**1. 다음 중 옷으로 인한 환경 오염을 예방하는 방법으로 적절한 것을 모두 골라 √ 표시를 해 봅시다.**

- [ ] 중고 거래를 활용하여 필요한 옷을 저렴하게 구입한다.
- [ ] 천연 섬유로 제작한 옷을 구매하여 토양이나 공기의 오염을 막는다.
- [ ] 리사이클 섬유를 활용하여 미세 플라스틱으로 인한 오염을 줄인다.
- [ ] 입지 않는 옷은 의류 수거함에 넣어 의류 쓰레기가 되는 것을 막는다.
- [ ] 가격이나 만족도 등을 꼼꼼히 따져 합리적으로 소비하는 자세를 지닌다.

**2. 다음 밑줄 친 '목소리'에 담길 내용을 추론하여 써 봅시다.**

유럽에서는 새롭게 출시되는 세탁기에 미세 플라스틱 필터를 의무적으로 장착하는 법안을 마련하는 등 발 빠르게 대응에 나서고 있어. 우리나라는 관련 문제를 법으로 해결 및 예방하려는 움직임이 미흡한데, 우리 같은 소비자가 더욱 경각심을 갖고 <u>목소리</u>를 내야 해.

# 피하고 싶은 '징크스', 해야만 하는 '루틴'

공규택

## 버릇을 준수(?)하라!

테니스는 민감한 스포츠다. 특히 플레이가 시작되는 서브를 넣을 때는 예민해진 선수를 배려해서 관중은 침묵하는 것이 관례일 정도다. 선수들은 민감한 상황에서 일관된 서브를 하기 위해 자신만의 버릇을 고집한다. 가령 서브를 넣기 전 세르비아의 노박 조코비치(Novak Djokovic) 선수는 수십 번 공을 튕기고, 슬로바키아의 도미니카 시불코바(Dominika Cibulková) 선수는 새 공을 코에 대고 킁킁대면서 냄새를 맡으며, 러시아의 마리아 샤라포바(Maria Sharapova) 선수는 머리카락을 귀 뒤쪽으로 넘기고, °스트로크를 할 때 괴성을 지

° 스트로크: 테니스에서, 라켓으로 공을 치는 일.

르기까지 한다.

"아니, 왜 저런 괴상한 소리를 내지?"

"소리를 질러야 플레이가 제대로 된다고 하잖아."

모든 테니스 선수에게는 특별한 버릇이 있다. 하지만 라파엘 나달(Rafael Nadal)만큼 다양한 버릇을 한꺼번에 구사하는 선수는 아무도 없다. 세계적인 테니스 선수인 에스파냐의 라파엘 나달은 서브를 넣을 때마다 *철두철미하게 지키는 버릇이 한두 가지가 아니다. 일단 공을 코트에 세 번 튕긴다. 실수로 두 번이나 네 번을 튕기는 일조차 없다. 이어서 엉덩이에 낀 바지를 오른손으로 잡아 뺀다. 이후 양쪽 어깨와 코, 귀를 차례대로 만지고 나서야 비로소 서브를 넣는다. 그러나 이것은 나달이 서브를 넣기 전에 보이는 행동일 뿐이다.

그는 다른 순간에도 수많은 버릇을 고집한다. 경기 시작 전 코트에 들어설 때 항상 왼손에 라켓을 쥐고, 재킷을 벗는 동안 계속 점프하며, 음료수병을 자신이 원하는 방향으로만 일정하게 놓는 등의 유별난 버릇은 미국 일간지 『USA 투데이』가 세부적으로 분석해서 기사화할 만큼 시시콜콜하고 집요하다. 기사에 따르면 나달의 이런 버릇은 열아홉 가지나 된다.

테니스 선수는 아니지만 우리나라에도 버릇 많기로 유명한 선수가 있는데 바로 프로 야구 삼성 라이온즈의 박한이 선수다. 그는 타석에 들어서면 투수가 공을 던지기 전에 우

* 철두철미하다: 처음부터 끝까지 철저하다.

서브를 넣기 전 코트에 공을 튕기고 있는 라파엘 나달 선수

선 장갑을 조인다. 그리고 점프로 두 발을 맞부딪히며 신발의 흙을 털어 낸다. 이후 아주 천천히 헬멧을 고쳐 쓴다. 또 다리를 넓게 벌리고 허벅지를 친다. 여기에서 그치지 않는다. 야구 배트로 땅에 선을 긋고 배트를 휘두른다. 다른 선수들에 비해 유난히 준비 동작이 많고 오랜 시간이 걸리기까지 한다.

"준비 동작이 다 끝날 때까지 투수가 기다려 주는 것도 힘들겠어."

"그래도 최상의 타격 능력을 발휘하기 위해 몸이 기억해 둔 감각을 끌어내는 행동이라니까 이해해."

## 루틴과 징크스, 무엇이 다른가

나달과 박한이 선수는 긴 예비 동작 때문에 시간을 끈다는 비난을 받는다. 그럼에도 불구하고 이들은 한 번도 빼놓지 않고 경기 내내 이런 동작을 취하는데, 바로 이것이 그들의 '루틴(Routine)'이기 때문이다. 루틴이란 스포츠에서 '어떤 목표 행동을 하기 전에 긴장감을 떨치려고 습관적으로 행하는 반복적 행동'을 일컫는 말이다. 즉 연습할 때 취한 행동을 실전에서 그대로 하는 것이다.

스포츠 심리학자에 따르면, 루틴은 선수가 최상의 컨디션으로 최대 능력을 낼 수 있는 상태를 만드는 데 반드시 필요하다. 바꿔 말해 루틴은 궁극적인 행동 목표를 위한 긍정적인 행동 습관이라고 할 수 있다.

루틴은 스포츠뿐만 아니라 일상생활에서도 흔히 나타난다. 일반인도 루틴에 따라 행동하는 경우가 많다. 예컨대 우리는 등교하면서 평소에 다니던 길로만 다니지, 다른 길로 가려는 시도는 잘 하지 않는다. 매일 다니던 그 길이 심리적으로 가장 안정적이고 익숙하기 때문이다. 수능 시험처럼 중요한 시험을 앞두고서 평소와 똑같이 자고, 평소에 먹는 대로 먹으라고 조언하는 것도 같은 원리다. 그래서 스포츠 선수는 좋은 경기력을 발휘하기 위해 훈련 중 습관을 그대로 경기 전에 반복한다. 이렇듯 자신만의 습관적이고 체계적인 동작을 '행동적 루틴'이라고 한다.

루틴은 행동만 일컫는 말이 아니다. 경기 전 사전 인터뷰에서 "이길 수 있다."라든지 "자신 있다."라고 *호언장담하는 선수를 흔히 볼 수 있다. 이런 말은 단순히 허세나 자만심이 아니라, 스스로 잘할 수 있다는 자신감을 불러일으키는 행위다. 자신의 생각을 긍정적으로 유지하려는 일종의 루틴인 것이다. 이렇게 긍정적인 자기 암시로써 스스로를 다스리는 것을 인지적 루틴이라고 한다. 2016년 리우데자네이루 올림픽 펜싱 경기에서 "할 수 있다!"를 무한 반복하며 불리한 상황을 극복하고 금메달을 획득한 박상영 선수를 기억할 것이다. 이것이 바로 인지적 루틴을 극대화해 성과를 이루어 낸 좋은 사례다.

　루틴은 '징크스(Jinx)'라는 개념과 매우 유사하다. 징크스는 원래 좋지 않은 일이 운명적으로 일어나는 것을 말한다. 예컨대 경기 전에 수염을 깎았더니 패했다면 면도하는 행위 자체가 해당 선수에게는 징크스가 되고, 미역국을 먹은 당일에 경기장에서 미끄러지거나 넘어지면 미역국을 먹는 행위는 그 사람에게 징크스가 된다. 축구 경기에서 '골대를 맞추면 그날 이기지 못한다.'는 *속설도 징크스에 해당한다.

　스포츠 선수에게 징크스는 자신이 경험한 행동으로 인해 우연히 나쁜 결과가 초래됐을 때, 그것을 단순히 우연으로 여기지 않고 강력한 인과 관계가 있는 것으로 생각해서 과도하게 집착하는 행동이다. 그래서 경기에 패하지 않으려

* 호언장담하다: 어떤 일을 할 수 있다며 큰소리치다.
* 속설: 세간에 전하여 내려오는 설이나 견해.

면도를 하지 않고, 미끄러지지 않기 위해 미역국을 먹지 않으며, 골을 넣어 승리하기 위해 자신의 슛이 골대에 맞지 않기를 바란다. 즉 그들에게 면도, 미역국, 공이 골대에 맞는 일은 피하고 싶은 것이 된다.

루틴과 징크스에 집착하는 선수들의 태도는 모두 스포츠 경기에서 승리를 위한 몸부림이라는 점에서 동일하다. 그렇다면 이 둘은 어떤 차이가 있을까? 혹자는 루틴을 '긍정적 징크스'라고 부르기도 하는데, 루틴과 징크스는 유사하지만 다음과 같은 차이가 있다. 루틴은 긍정적 결과를 끌어내기 위해 '해야만' 하는 행동이고, 징크스는 나쁜 결과를 피하기 위해 '하지 말아야' 할 행동이다. 즉 루틴은 늘 하던 대로 하면 잘할 수 있다는 마음에서, 징크스는 나에게 해가 되는 결과를 피하고 싶은 마음에서 나온다.

### 세 살 루틴 여든까지 가면 달인 된다

의식적이든 무의식적이든 루틴과 징크스가 좋은 목적을 달성하기 위한 행위라면, 이를 실생활에 적용하면 어떨까? 실제로 루틴은 우리 삶에 긍정적으로 작용할 가능성이 크다. 우선 나쁜 징크스를 루틴으로 극복할 수 있다. 수염을 깎으면 경기에서 패배하는 징크스가 있더라도, 평소 루틴이 내 몸에 강력히 자리 잡고 있으면 승리를 쟁취할 수 있다. 징크스는 인과 관계가 거의 없지만, 루틴은 인과 관계가 강하기 때문이다.

몸에 밴 루틴은 긴박한 순간에도 중요한 사항을 빠뜨리지 않게 해 준다. 또 일관된 행동이나 생각은 상황이 달라져도 사람이 안정된 심리 상태를 유지할 수 있도록 도와주기 때문에, 일에 대한 성공 확률을 높이고 불확실성을 줄인다. 평소 긍정적인 습관을 많이 들인 사람이 스포츠뿐만 아니라, 삶 속에서 좋은 성과를 거둘 수 있는 이유가 바로 여기에 있다.

실제로 대부분 예술가는 일정한 루틴이 있다. 우리는 그들이 한없이 자유로운 생활 속에서 작품을 창작한다고 생각하지만, 수많은 성공한 예술가는 의외로 일상의 루틴을 정확히 지켜 나가며 매일 일정 분량씩 일하곤 한다. 프랑스의 작가 베르나르 베르베르(Bernard Werber)는 아침에 10쪽 내외의 글을 쓰고, 오후 1시부터는 사람들과 만나 점심을 먹는 일상의 루틴을 반복한다. 일본 작가 무라카미 하루키(村上春樹) 역시 아침에는 조깅, 간단한 식사, 글쓰기를 하고 오후에는 휴식, 음악 감상 등 일상의 루틴을 지키며 꾸준히 글을 쓰려고 노력한다.

한 가지 일을 루틴으로 꾸준히 실행하면 전문적인 실력을 갖추게 된다. 스포츠 선수의 루틴이 그를 해당 분야 최고의 선수로 만드는 것처럼, 일상의 루틴도 수십 년 동안 축적되면 TV 프로그램에서 소개되는 수많은 달인같이 특정 분야에서 *두각을 나타낼 수 있다. 생활 속 달인들은 수없이 반복되는 연습과 경험을 통해 작업의 효율을 극대화하는 루틴을

* 두각: 여럿 가운데 눈에 띄는 재주를 빗대어 이르는 말.

개발하고, 그것을 무한 반복하면서 성과를 거두었다. 스포츠 중계를 보며 특정 선수의 루틴이 지루하고 재미없다고 투덜거리는 사람도 더러 있으나, 한 분야에서 성공하기 위한 노력의 산물이라고 생각하면 그리 투덜거릴 일만은 아니다.

캐나다 저널리스트 말콤 글래드웰(Malcom Gladwell)이 쓴 『아웃라이어』라는 책에는 '1만 시간의 법칙'이 나온다. 이 법칙은 어떤 분야에서 성공하려면 열정을 가지고, 적어도 1만 시간을 투자하고 꾸준히 노력해야 그 분야에서 성공할 수 있다는 의미이다. 1만 시간은 대략 10년 정도 된다. 지루하고 힘들더라도 나만의 루틴이 적어도 10년은 지속되어야 성공한다는 뜻으로 이해하면 좋겠다.

「피하고 싶은 '징크스', 해야만 하는 '루틴'」을 읽고 다음 물음에 답해 봅시다.

**1.** 다음 사례가 징크스와 루틴 중 어디에 해당하는지 연결한 후, 그렇게 생각한 까닭을 이야기해 봅시다.

> 한 요트 선수는 시합 전에 경기장 주변의 쓰레기를 줍는다. 요트 경기는 날씨 환경의 영향을 많이 받기 때문에 하늘의 도움을 비는 자신만의 의식으로 그러는 것이다.

◦                                    ◦  징크스

> 서구권에서 '13일의 금요일'은 많은 사람이 불길하다고 생각하는 날이다. 운전자 중에서는 이날 아예 차를 가지고 나오지 않는 사람도 많다.

◦                                    ◦  루틴

**2.** 다음 내용을 바탕으로 루틴에 대한 글쓴이의 생각을 추론해 봅시다.

스포츠 중계를 보며 특정 선수의 루틴이 지루하고 재미없다고 투덜거리는 사람도 더러 있으나, 한 분야에서 성공하기 위한 노력의 산물이라고 생각하면 그리 투덜거릴 일만은 아니다.

글쓴이는 루틴에 대해 ( 긍정적 / 부정적 )으로 생각하고 있어.

# 토종 씨앗의 행방불명

박경화

## 1,500가지 밥맛

할머니는 알이 굵고 잘 여문 옥수수를 처마 아래에 가지런히 매달았다. 노란 찰옥수수와 붉은 쥐이빨옥수수가 처마에 나란히 매달려 있고, 가지런히 엮어 놓은 양파와 마늘, 쪽파 뿌리, 주홍빛 곶감까지 어울려 알록달록하고 풍성한 가을 풍경을 만들었다. 할머니는 강낭콩과 완두콩, 녹두, 팥, 수수, 율무 등 벌레 먹지 않고 단단하게 잘 여문 곡식을 골라서 종류별로 각각 주머니에 담아 입구를 단단하게 묶은 뒤 대청마루 위 °시렁에 얹어 놓았다. 처마 아래와 대청마루 시렁은 비를 피할 수도 있고 바람도 잘 통하는 곳이라 내년 봄 본격적인 임무가 시작되기 전까지 씨앗들이 긴 겨울 휴가를 즐기기에 딱 알맞다.

° 시렁: 물건을 얹어 두려고 방이나 마루 벽에 가로로 걸쳐서 붙박은 나무.

봄부터 가을까지 논밭에서 자라는 농작물은 저마다 씨앗이 익는 계절이 달라서 때를 놓치지 않고 씨앗을 받는 일은 매우 중요하다. 씨앗을 잘 받아 둬야 내년 농사를 기약할 수 있기 때문이다. 자칫 때를 놓치면 잘 익은 씨앗이 땅바닥으로 떨어지거나 튕겨 나가고, 새와 벌레들이 쪼거나 갉아먹고, 비가 많이 오는 장마와 태풍이 올 때 싹이 트거나 병들어 검게 썩어 버리기도 한다.

할머니는 씨앗을 받는 날이면 특별히 정성을 들이셨다. 비구름이 물러가고 볕이 화창한 이른 아침 조심스럽게 작업을 시작하셨다. 참깨나 들깨처럼 아주 작은 씨앗들은 큰 멍석이나 천을 바닥에 넓게 깔아 놓고 조심스럽게 거두었다. 이렇게 모은 씨앗은 크고 작은 주머니에 종류별로 담아 씨앗의 성질에 맞게 집 안 곳곳에 보관했다. 이처럼 가을이 되면 우리 집은 종자 보관소로 변신했다.

씨앗뿐 아니라 뿌리 식물 보관법도 중요하다. 햇볕을 받고 물기가 닿으면 파랗게 변하면서 싹이 트는 감자는 어둡고 바람이 잘 통하는 창고에 보관하고, 남쪽 지방에서 와서 따뜻한 기운을 좋아하는 고구마는 사랑방에 있는 큰 단지에 넣어 두었다. 고구마는 따뜻한 방 안에서 겨울을 나니 좋고, 우리는 추운 날 바깥에 나가지 않고도 생고구마를 깎아 먹을 수 있어서 편하고 좋았다.

토란의 보관법은 더 특별하다. 알뿌리인 토란은 흙 속에 보관해야 하고 겨우내 얼지 않게 하는 것이 중요했다. 이 두 가지 문제를 함께 해결할 수 있는 곳은 바로 아궁이 앞이었다. 부엌 아궁이 앞의 흙을 옴폭하게 파내어 토란 뿌리를 넣고 다시 흙으로 덮어 두었다. 아침저녁으로 아궁이에 불을 지필 때마다 토란은 따뜻한 온기를 느끼며 추운 겨울을 무사히 보냈다. 이렇게 농가에서는 씨앗의 특징과 열매의 성질에 따라 보관하는 방법과 장소를 다르게 하여 한 해를 *갈무리했다.

씨앗을 받는 할머니 손은 나무껍질처럼 거칠기는 해도 알고 보면 요술 손이다. 봄부터 가을까지 햇빛과 바람, 비, 흙의 도움을 받아 잘 자란 농작물이 열매와 씨앗을 맺으면 할머니는 이 씨앗을 마치 보석 다루듯이 한 알 한 알 소중하게 받는다. 그리고 적당한 곳에 보관하여 겨울을 무사히 넘기고, 이듬해 봄이 오면 다시 땅에 한 알 한 알 정성껏 심어서 종자의 대를 이어 가게 했다.

할머니의 손을 거쳐 우리 땅에서 오랫동안 자라면서 우리 기후에 적응한 토종 씨앗들은 종류가 매우 다양하다. 호랑이콩, 쥐눈이콩, 새알콩, 제비콩, 대추콩, 자갈콩, 알종다리콩, 자주콩, 비추콩, 푸르대콩, 눈까메기콩, 선비밤콩, 보각다리콩, 준주리콩……. 이름만 들어도 모양과 빛깔을 상상할 수 있을 정도로 개성 있다.

우리나라 밥상에 가장 중요한 것은 역시 밥이다. 밥을 짓는 토종 볍씨의 종류도 다양했다. 한가위 때 맛볼 수 있는 찰벼라는 뜻을 가진 가위찰, 낟알 끝이 붉은색 족두리를 쓴

* 갈무리하다: 일을 처리하여 마무리하다.

새색시를 닮았다는 각씨나, 조선 시대 궁궐에 올랐던 찰벼였던 대궐찰, 적갈색의 긴 까락(벼 수염)이 붉은 돼지의 등처럼 보이는 돼지찰, 이삭이 능수버들 느낌이 날 정도로 휘어져 자라는 버들벼, 키가 작은 앉은뱅이벼, 벼 이삭이 암꿩인 까투리의 깃털 색깔과 모양을 닮은 자치나(雌稚糯), 검고 긴 까락에 흰 낟알 색이 인상적인 흑갱(黑粳)도 있다.

그 밖에도 흰검부기, 녹도벼, 대관벼, 자광벼, 밀다리, 족제비찰, 쥐잎파리벼, 친다다치기, 쇠머리지장, 들렁들치기벼……. 이렇게 개성 있는 벼들이 우리 땅에서 자라면서 지방마다 다양한 쌀과 밥맛을 이어 왔다.

벼는 4,000~5,000년 전 고조선 시대부터 농사짓기 시작한 가장 오래된 재배 작물이다. 지금 재배하고 있는 토종만 해도 400여 종이고, 역사서에 기록된 것을 포함하면 1,500종이 넘게 이 땅에서 자랐다고 한다. 무려 1,500가지 밥맛이 있었다는 이야기다. 이 다양한 밥맛은 도대체 어디로 갔을까?

### 해마다 씨앗을 사는 까닭

봄이 오면 농부는 여러 가지 씨앗을 논밭에 뿌린다. 가뭄에 강한 씨앗, 일찍 이삭이 *패는 씨앗, 병에 강한 씨앗을 따로 *파종했다가 날씨를 봐 가며 그해에 맞는 씨앗을 심었다. 이것이 바로 종 다양성을 가진 토종 농사법이다. 한국 토종

• 패다: 곡식의 이삭이 자라나다.
• 파종하다: 논밭에 씨앗을 뿌리다.

연구회는 토종을 이렇게 정의했다.

"토종은 한반도의 자연 생태계에서 대대로 살아왔거나 농업 생태계에서 농민이 대대로 사양 또는 재배하고 선발되어 내려와 한국의 기후 풍토에 잘 적응된 동물과 식물, 미생물이다."(안완식, 『우리가 지켜야 할 우리 종자』, 사계절, 1999)

이처럼 토종 씨앗이란 조상 대대로 우리 땅에서 자연의 기운을 받고, 온갖 시련을 겪으면서 우리 기후에 맞게 진화해 온 종자를 말한다. 그래서 웬만한 질병에도 면역이 생겨서 농약 없이도 잘 자라고 건강한 열매를 맺는다. 물론 병에 걸리기도 하지만 내성을 키우며 진화했기 때문에 병에 걸려도 잘 버티고 잘 번지지 않는다. 그래서 좋은 먹을거리일 뿐 아니라 우리 몸에 약이 되기도 한다.

토종은 자신의 몸을 크게 키우지 않는다. 영양분이 가득한 거름을 듬뿍 주어도 과식하지 않고 자랄 만큼만 자란다. 줄기도 많이 뻗지 않고 자신이 감당할 만큼만 자란다. 그래서 열매는 달고 맛이 좋은데 수확량은 그리 많지 않다.

이 토종 씨앗은 1970년대 경제 성장을 앞세운 산업화 시기를 지나면서 급격하게 줄어들었다. 우리나라에서는 이 시기에 먹을거리 생산량을 늘리기 위해 애썼다. 열매를 많이 맺는 종자를 보급하고 많이 판매하는 데만 골몰하는 동안 다양한 토종 씨앗은 점점 *변방으로 밀려나 멸종되고 말았다. 이제 농부들은 주요 농작물의 씨앗이나 모종을 해마다

---

* 변방: 다른 나라와 맞닿은 변두리 땅.

*종묘상에서 사다 쓴다. 고추와 상추, 오이, 수박, 참외, 배추, 무, 열무, 가지, 파처럼 우리 밥상에서 흔히 볼 수 있는 채소와 과일도 그렇다.

이렇게 시장에서 쉽게 살 수 있는 씨앗은 어떤 것일까? 종묘상에서 사 온 개량종 씨앗을 일대잡종(一代雜種, 유전형질이 서로 다른 부모 사이에서 생긴 일대 자손)이라 한다. 이 씨앗들은 수확량이 많고 일찍 수확할 수도 있고 열매가 크고 열매살도 많다. 농부들은 농작물을 많이 수확해서 잘 팔아야 자식들을 키우고 생활도 할 수 있기 때문에 개량종 씨앗을 선택했다. 그런데 개량종 씨앗은 특정한 병에 강하게 만든 것이라서 그 병에는 강할지 몰라도 자가 치유력이 없다. 다른 병에는 아주 약하고 금방 전염되어 병이 쉽게 퍼진다. 그래서 농약이 필요하고 화학 비료도 필요하다.

이런 씨앗의 또 다른 특징은 불임이라는 것이다. 이 씨앗을 심어서 한 해 수확한 뒤 다시 씨앗을 받아 이듬해에 심으면 싹이 트는 발아율이 떨어지고 병에도 약하고 열매도 잘 맺지 못한다. 또 부모를 닮지 않고 제각각으로 생긴 열매를 맺기도 한다. 어쩔 수 없이 농부들은 다시 새로운 씨앗을 사다가 키워야 한다.

종묘 회사는 왜 이런 개량종 씨앗을 만들까? 해마다 씨앗을 팔기 위해서이다. 농부들이 씨앗을 산 뒤 다시 사지 않으면 수익이 나지 않고, 상품성 있는 종자를 만들면 다른 회사

* 종묘상: 농작물의 씨앗이나 묘목을 파는 장사.

에서 베낄 수 있어서 이런 전략을 쓰는 것이다. 다국적 회사에서 개발한 종자 가운데 '터미네이터 종자'라는 씨앗이 있다. 터미네이터 종자는 생식 능력을 스스로 제거하여 싹이 트지 않게 만든 '자살 씨앗'이다. 다음 세대의 씨앗이 스스로 독소를 분비하여 죽도록 유전자를 조작한 것이다. 또 자기네 회사에서 만든 특정한 농약을 뿌려야만 싹이 트도록 유전자를 조작하는 트레이터 기술(Traiter Technology)을 쓰는 회사도 있다.

유전자 변형 생물(GMO, Genetically Modified Organism)도 눈여겨봐야 한다. GMO는 자연 상태에서는 서로 교배하지 않는 생물 사이에 다른 종의 유전자를 오려 내어 삽입하거나 조작하여 생산한 작물을 말한다. 추위나 병충해, 제초제 들에 강한 성질같이 어떤 생물에게 유용한 유전자를 골라서 다른 생물체에 넣어 새로운 종자로 탄생시킨 것이다. 토마토에 넙치의 유전자를 넣어 무르지 않는 토마토를 만들고, 제초제를 뿌려도 살아남는 박테리아 유전자를 넣어 제초제에 강한 콩을 만들고, 살충제를 생산하는 유전자를 옥수수와 면화 들에 넣어 농작물 자체가 살충 기능을 하도록 한다.

GMO는 생태계를 교란한다. GMO를 심으면 일부 잡초와 해충 들이 이 작물을 이겨 내는 내성을 길러서 더 강한 슈퍼 잡초, 슈퍼 해충으로 거듭난다. 그럼 이를 이겨 낼 더 강한 작물을 만들어 내거나 이것들을 없앨 강력한 살충제를 만들어 내야 한다. GMO 농작물에 사용하는 농약(글리포세이트)은 여러 심각한 질병을 일으킬 수 있는 위험한 것으로 알려져 있다. 무엇보다도 농부들이 씨앗을 받아서 다음 해 농사를 지을 수 있는 권리를 빼앗고 있다.

GMO는 우리나라에서 재배하는 것이 금지되어 있지만 값이 싸기 때문에 수입을 많이 하고 있다. 옥수수와 콩, 유채, 면화, 감자, 사탕수수, °알팔파 들을 식용과 가공용, 사료용으로 다양하게 이용하고 있다. 건강한 먹을거리를 생산하는 농민 단체와 소비자 단체에서는 GMO가 위험하고 안전성이 검증되지 않았기 때문에 소비자들이 선택할 수 있도록 GMO를 사용한 모든 식품에 GMO 완전 표시제를 도입해야 한다고 목소리를 높이고 있다.

### 도시에서도 관심을 가져야 하는 까닭

토종 씨앗은 농부의 손에서 해마다 재배되어 내려오면서 그 지방 환경에 적응해 왔다. 그 과정에서 새로운 변종이 생기기도 하고, 농부의 손에서 고르고 걸러지면서 씨앗은 끊임없이 진화해 왔다. 이런 역사를 가진 토종 씨앗이 사라지는 데는 도시 소비자의 책임도 크다. 사람들이 매끈하게 보기 좋은 농산물과 익숙한 맛만 즐겨 찾기 때문에 농부들도 도시 사람들이 좋아하는 품종 위주로만 농사짓게 된 것이

---

° 알팔파: 자주개자리의 다른 이름. 이 작물의 건초가 주로 초식 동물 사료로 쓰인다.

다. 이런 과정에서 토종 씨앗은 차츰 사라지게 되었다.

우리 토종 씨앗을 연구하고 수집하는 농촌 진흥청 안완식 박사는 1985년부터 전국의 두메산골과 사찰, 섬 구석구석을 돌아다니면서 토종 종자 2만 4,000여 점을 수집했다. 1985년 토종 종자를 처음 수집했던 곳을 1993년도에 다시 찾아가서 살펴보니 그사이에 74퍼센트가 사라졌다고 했다. 7년 뒤에 다시 가 보니 12퍼센트만 남아 있었다고 한다. 토종이 사라지는 속도는 예상보다 훨씬 빨랐다.

최근에는 토종 씨앗을 살리기 위해 농민 단체와 소비자들이 뜻을 모아 토종 종자 살리기 운동을 벌이고 있다. 토종 씨앗을 쉽게 구해서 심고 가을에 수확한 씨앗을 다시 나눌 수 있도록 씨앗 도서관도 운영하고 있다.

우리의 먹을거리는 이 작은 씨앗에서 시작된다. 생물 다양성은 음식 문화의 다양성, 더 나아가 우리 문화의 다양성으로 이어진다. 종자 주권은 식량 주권이다. 우리가 종자를 생산하지 못하고 다른 나라에 의존하게 되면 식량 위기가 닥쳤을 때 스스로 생존하지 못하고 식량을 사들여야 해서 외국에 식량 주권을 빼앗길 수 있다. 우리 땅에 나는 것을 골고루 찾아 먹어야 농업도 지킬 수 있고, 생태계도 건강한 생명력을 이어 나갈 수 있다. 땅이 건강해야 좋은 종자가 생기고, 종자가 튼튼해야 건강한 먹을거리를 생산할 수 있고, 다시 땅도 건강해지는 선순환이 이루어진다. 이것이 바로 우리가 토종을 살려야 하는 까닭이고, 도시에서 사는 사람들도 토종에 관심 기울여야 하는 까닭이다.

**생물 다양성**

　지구에는 다양한 식물종, 동물종, 미생물종이 서로 도움을 주고받으며 살고 있다. 생물 다양성은 이런 생물 가운데 나타나는 종 다양성, 유전자 다양성, 생태계 다양성을 아우르는 개념이다.

　숲에 사는 나무 종류가 다양하면 생물 다양성이 높다고 표현한다. 또 종은 하나라고 해도 종을 구성하는 유전적 형질은 다양할 수 있다. 은행나무만 해도 가지가 수평으로 퍼지는 나무, 위로 서는 나무, 아래로 드리우는 나무처럼 조금씩 유전적 차이를 지닌 여러 종이 있다. 그런데 가지가 위로 서는 은행나무만을 골라서 숲을 가꾼다면 생물 다양성이 낮아질 것이다. 한 지역에서 자라는 나무 종류가 다양하면 생태계도 다양해진다. 대체로 지형이 복잡하거나 면적이 넓을수록 생태계의 다양성은 높아진다.

　지구 곳곳에서 훼손과 파괴, 개발이 계속되면서 멸종되는 종이 점점 늘어나자, 생물 다양성에 대한 관심이 높아지고 있다.

「토종 씨앗의 행방불명」을 읽고 다음 물음에 답해 봅시다.

**1. 다음 빈칸에 알맞은 단어를 넣어 글의 내용을 정리해 봅시다.**

| 소제목 | 글의 내용 |
|---|---|
| 1,500가지 밥맛 | • 우리 땅에서 오랫동안 자라면서 우리 기후에 적응한 ▢▢▢ 들은 종류가 매우 다양했다. |
| 해마다 씨앗을 사는 까닭 | • 농부들이 수확량을 늘리기 위해 토종 씨앗 대신 선택한 ▢▢▢ 은 자가 치유력과 생식 능력이 없다.<br>• 우리나라에서 재배가 금지되어 있으나 많은 양이 수입되는 ▢▢▢ 도 주의해야 한다. |
| 도시에서도 관심을 가져야 하는 까닭 | • 농부들이 도시 사람들이 좋아하는 ▢▢▢ 위주로만 농사를 짓게 되면서 토종 씨앗은 차츰 사라지게 되었다.<br>• 토종 씨앗을 살려 ▢▢▢ 을 지킴으로써 생태계도 건강한 생명력을 이어 나갈 수 있다. |

**2. 다음은 이 글을 읽으며 정리한 문장입니다. 이를 바탕으로 글쓴이가 이 글을 쓴 목적이 무엇일지 추론하여 말해 봅시다.**

• 이 다양한 밥맛은 도대체 어디로 갔을까?
• 종자 주권은 식량 주권이다.

# 몸을 편히 눕힐 수 있는 공간

한현미

사람이 살아가기 위해 기본적으로 필요한 것에는 무엇이 있을까? 입을 것, 먹을 것, 살아갈 곳, 즉 의식주가 떠오른다. 아무리 잘난 사람이라 하더라도 이 세 가지가 없으면 살아가기 힘들다.

우리는 눈에 보이는 옷에 신경을 많이 쓴다. 교복을 입을 때도, 다 같은 교복이지만 좀 더 예쁘게 보이고 싶고, 좀 더 돋보이고 싶어서 치맛단을 줄이든지, 바지폭을 줄여서 입기도 한다. 사복을 입어야 할 경우에도 무슨 옷을 어떻게 입을지 며칠 전부터 고민을 한다. 먹을 때도 우리는 '음식이 맛있는가?', '살이 찌는 것은 아닌가?'를 고민하고, 우리의 부모님은 '유전자 변형 식품은 아닌가?', '농약이 많이 뿌려진 농산물은 아닌가?', '방사능에 오염된 수산물은 아닌가?'를 고민하면서 신중하게 선택한다.

그러면 우리가 살고 있는 집에 대해서는 얼마나 고민을 하는가? 학교와 학원에서 지치고 힘든 몸을 편안하게 눕힐 수 있는 공간, 바로 집이 중요하다. 집을 떠나 며칠 동안 수학여행을 가거나 체험 활동을 갈 때, 당장은 신나지만 시간이 지날수록 나의 집이 그리워진다. 여정을 마치고 돌아오는 길, 멀리 우리 동네가 보이고, 나의 집이 보일 때 포근함을 느낀다. 한걸음에 달려가 신발을 벗어 던지고 등을 대고 벌러덩 드러누우면서 우리는 "아, 좋다!"라는 말을 내뱉는다.

　　이렇게 우리를 편안하게 해 주는 집은 어떠한 공간과 구조로 이루어져 있을까? 단순히 방 한 개만 덩그러니 있어도 온전한 집이라고 할 수 있을까? 모든 것이 다 있는데 화장실만 없는 집이라면 어떨까? 집에서 사람이 온전하게 살기 위해서는 어떤 것들이 갖추어져야 할까?

### 사적인 공간, 방

　　집에 들어와서 우리는 방으로 들어가 교복을 홀러덩 벗어 던지고, 편안한 옷으로 갈아입는다. 누구의 시선도 의식하지 않아도 되는 곳, 내가 하고 싶은 대로 할 수 있는 곳이 방이다. 자유로운 공간인 방을 우리는 어떻게 가꾸고 살아가고 있는가?

**학생 1**

학교에서 지친 몸을 이끌고, 방으로 들어온다. 방바닥에는 벗어 놓은 티와 바지, 양말이 뒹굴고 있다. 책상 위에는 책과 공책, 여러 가지 프린트물이 함께 얽히어 수북이 쌓여 있다. 교복을 벗어 침대 위에 던져 놓는다. 침대 위에도 이미 입었다 벗어 놓은 옷으로 덮여 있어 편하게 누울 공간조차도 없다.

오늘부터는 공부 좀 해야겠다고 다짐했다. 책상 위가 너무 지저분해서 치우기 시작한다. 치우다 보니 어렸을 적 앨범이 나왔다. 방바닥에 쭈그리고 앉아 한 장 한 장 넘겨 본다. 어릴 적 장난감이 쌓여 있던 내 방도 사진에 찍혀 있다. 시간은 흐르고 책상 정리는 제대로 되지 않았는데 벌써 밤 12시가 넘었다. 책상은 여전히 지저분하다.

공부는 내일부터 해야겠다.


## 학생 2

학교에서 지친 몸을 이끌고, '내 방'으로 들어온다. 창밖에서 잔잔히 비치는 저녁노을을 보면서 교복을 벗어 옷장에 정리한다. 책상 위에 가지런히 놓여 있는 연필꽂이, 그 옆 책꽂이에는 교과서와 읽을 책이 나란히 꽂혀 있다. 깔끔한 책상 위를 보니 공부를 하고 싶다. 폭신한 의자에 앉는다. 날마다 읽고 있는 책을 펴고, 30분 동안 30쪽을 읽었다. 그리고 낮에 배운 내용을 다시 한번 보면서 확인한다.

오늘 하루 열심히 살아 낸 나에게 뿌듯함을 느끼며 잠자리에 든다.

같은 방이라고 하더라도 그 안에 사는 사람이 누구냐에 따라 방의 환경은 달라지고, 그 환경에 따라 행동이 달라진다. 사람은 공간을 만들고, 공간은 사람을 만든다. 앞에서 학생 두 명의 공간을 볼 수 있다. 지금은 내 방이라는 공간에서 비슷하게 하루를 살아가는 것처럼 보이지만 공간을 어떻게 정리하느냐에 따라 행동이 달라지고, 10년 후, 20년 후의 삶은 전혀 다르게 흐를 것이다. 자! '내 방'을 둘러보자. 그리고 지금 당장 깨끗하게 정리를 해 보자. 인생이 달라질 것이다.

## 감정을 표현하는, 방문

방으로 들어갈 때, 맨 먼저 만나는 방문은 우리의 감정을 표현하는 수단이 되기도 한다. 엄마의 잔소리에 기분이 상할 때, 우리는 방문에 온 마음을 실어 쾅 닫는다. 마음이 많이 상할 때는 문고리를 꾹 눌러 잠그기까지 한다. 방문을 굳게 닫을수록 나와 가족, 나와 세상은 단절된다.

부모님은 내 방에 들어왔다 나갈 때 문을 꼭 닫지 않고, 빼꼼히 열고 가신다. 나를 감시하기 위한 것일까? 아니면 자식과 소통하고 싶은 간절한 마음에서일까? 부모님이 나가시면 살금살금 방문으로 걸어가 문고리를 꾹 눌러 방문을 걸어 잠그고, 잘 잠겼는지 다시 한번 확인한다. 그러면 나만의 공간이 확보된다는 느낌이 든다. 사람을 틀에 가두는 공간이자, 사생활이 보호되는 곳이 방이다.

방문은 가족과 소통하는 통로가 되기도 한다. 자꾸 내 방문을 열어 놓고 나가시는 부모님의 마음을 헤아려 보자. 문을 조금이라도 열고 나가는 것은 우리와 소통하고 싶은 부모님의 간절한 마음이 들어 있는 것이다.

## 나를 둘러싼 공간: 창문, 바닥, 천장, 벽

침대에 누워 나를 둘러싸고 있는 공간을 둘러본다. 창문, 바닥, 벽, 천장이 보인다.

창문은 밖의 공간과 연결된다. 창문을 통해 봄의 따사로운 햇살을 느낄 수도 있다. 여름에 장맛비가 휘몰아치는 것, 가을에 단풍나무가 흔들리는 것, 겨울에 함박눈이 내리는 것을 볼 수도 있다. 창문은 이렇게 내부 공간에서 바깥세상을 관찰할 수 있게 해 준다.

인간은 큰 창문을 설치하기 이전에도 집에서 밖을 살필 수 있는 작은 구멍을 냈다. 이 구멍을 통해 밖의 경치를 구경하기도 하였고, 혹 위협적인 요소가 있는지 파악하기도 하였다.

창문은 내 모습은 감추고 남을 볼 수 있게 하는 역할을 한다. 낮에는 창문을 통해 숨어서 주변 세상을 볼 수 있다. 자신이 눈에 띄지 않을 때 사람은 안정감을 느낀다. 밤에는 실내의 불빛으로 창문을 통해 밖에서 안이 훤히 들여다보인다. 우리는 낯선 사람의 시선에 불안감을 느끼고, 안전을 추구하기 위해 커튼과 덧문으로 창문을 차단한다.

지금 무엇을 딛고 있는가? 바닥을 딛고 있다. 사람이 딛고 서기 위해서 바닥은 단단해야 한다. 바닥에 책상도 있고, 의자도 있고, 침대도 있다. 이런 물건을 두기 위해 바닥은 평평해야 한다.

바닥을 높이 차이로 이어 놓은 것이 계단이다. 우리는 계단을 통해 또 다른 바닥으로 이동한다. 계단은 또 다른 층과 연결해 주는 통로가 된다. 바닥의 높이 차이로 다양한 공간을 만들어 낸다. 현관과 거실 바닥의 높이가 다르고 거실과 욕실 바닥의 높이가 다르다.

바닥 높이를 고려하지 않을 때 우리는 불편을 느낀다. 욕실 바닥이 충분히 낮아야 슬리퍼를 벗고 문을 제대로 닫을 수 있다. 바닥의 높이가 맞지 않아 욕실 슬리퍼가 문에 걸리고, 항상 슬리퍼를 민 다음에 문을 닫는 것은 얼마나 불편한가?

벽은 건축 공간을 분리시켜 준다. 벽이 경계를 만들고 보호해 주므로 우리가 편안하게 거주할 수 있다. 벽은 안전을 유지해 준다. 높은 건물 위에서 바닥만 있고 벽이 없다고 상상해 보자. 아찔해서 다리가 떨리고 현기증을 느낄 것이다.

벽은 우리 눈앞에 있다. 우리는 벽을 통해 그 장소의 특성과 분위기를 알 수 있다. 교실의 벽을 보자. 앞에는 칠판이 달려 있다. 뒤에는 게시판이 있다. 칠판과 게시판만 봐도 교실이라는 것을 금방 알 수 있다. 학원의 벽, 집 안의 벽은 모두 그 느낌이 다르다.

천장은 바닥의 반대 공간에 있지만 항상 바닥과 함께 있다. 천장은 비바람을 막아 주는 실용적인 역할도 하지만 숭고함을 표현하는 수단이 되기도 한다. 로마의 판테온 신전처럼 천장으로 햇살이 들어오는 것을 보면서 성스러움을 느끼기도 한다.

### 공유하는 공간, 거실

거실은 가족이 함께 머무는 곳이다. 공동의 공간인 거실이 따뜻하고 편안한가? 텔레비전만 덩그러니 놓여 있는 썰렁한 공간은 아닌가? 가족이 모여 마음과 마음을 나눌 수 있는 공간 본래의 기능을 하고 있는가? 우리 집의 거실 공간을 찬찬히 관찰해 보자. 거실에 놓여 있는 물건에서부터, 거실에 모이는 가족의 마음까지 들여다보자. 우리 가족은 거실이라는 공간을 통해 서로 소통하고, 마음을 위로하고, 평화롭고 행복한 삶을 살고 있는가?

소파에 앉아 텔레비전을 보기도 하고, 핸드폰을 만지작거리기도 하면서 거실에 머문다. 원래 사람은 모이면 이야기를 하며 마음을 나누는 존재이다. 그러나 언제부터인가 거실이라는 공간만 있고 소통은 사라졌다. 같은 공간에 있으면서 핸드폰을 통해 다른 공간의 사람을 만난다. 거실의 본래 기능은 사라지고 삭막함과 적막함이 *장막을 치고 있다. 가족끼리 소통이 없는데 친구와의 진정한 소통을 기대하기는 더 힘들다.

* 장막: 어떤 사실이나 현상을 보이지 않게 가리는 사물을 비유적으로 이르는 말.

옛날 우리 조상들의 집 구조에서 거실은 대청마루에 해당한다. 마루는 *마실 온 옆집 아주머니와 이야기를 나누던 곳, 놀러 온 친구와 소꿉놀이도 하던 곳, 가족이 함께 모여 둥그런 상에 둘러앉아 밥을 먹던 곳이다.

그러나 지금 거실은 단지 가족들이 함께 앉아 있는 곳이다. 아이들은 거기 있다가 부모님이 들어오면 바퀴벌레처럼 슬금슬금 하나둘 제 방으로 기어 들어가고 만다.

거실이라는 공간의 본질을 살려 보자. 함께 모여 가족이 할 수 있는 것은 무엇이 있을까? 거실에서 가족의 소통을 가로막는 것은 무엇일까? 그것은 한쪽 벽면을 차지하고 있는 커다란 검은 상자, 텔레비전이다.

거실에서 텔레비전을 치우고, 손바닥에서 핸드폰을 내려놓아 보자. 그리고 그곳에 책장을 두고, 책을 꽂아 보자. 거실 구석에는 살아 숨 쉬는 식물을 몇 개 놓자. 죽어 가던 공간이 숨을 쉬고, 나도 모르게 편안해지면서 가족들과 이야기하고 싶은 마음이 생길 것이다.

도란도란 두런두런 이야기가 나올 수 있는 환경을 만들자.

처음에 거실에서 텔레비전을 없애면, 심심하고 불안해질 수도 있다. 그러나 그 시간에 책을 읽어 보자. 인생이 달라질 것이다. 책이 있는 거실에 있으면 자연스럽게 책장에 손이 가지 않을까?

거실은 손님을 맞는 공간이기도 하다. 어른들은 거실에서

* 마실: 이웃에 놀러 다니는 일.

손님 대접을 한다. 차 한 잔을 마시기도 하고, 술과 함께 밤새 이야기꽃을 피우기도 한다.

우리가 거실에서 책을 읽는 순간 그 공간은 도서실로 역할이 바뀐다. 가족이 모여 책을 읽는 모습을 상상만 해도 멋지지 않은가! 그러나 부모님은 거실에서 텔레비전을 보면서 우리에게는 "책 좀 봐라. 잉~"이라고 하시면 마음속에서 스멀스멀 무엇이 올라오는 것을 느낀다.

거실은 가족이 책을 읽으면서 소통하는 긍정의 공간이 되기도 하고, 핸드폰만 하다가 슬그머니 사라지고, 심지어 갈등이 표출되는 부정의 공간이 되기도 한다. 거실을 긍정의 공간으로 만들어 보자. 깔끔하게 정리하고, 예쁜 화분을 갖다 놓고, 텔레비전 대신 책을 들여놓으면 아늑하면서도 편안한 공간에서 나도 모르게 책을 읽고 싶은 느낌이 들 것이다. 성장과 변화를 *촉진하는 공간을 의도적으로 만들 때 우리는 자연스럽게 성장하고 변화하며 발전할 것이다.

### 공간과 공간을 분리하는 건물 안의 벽, 내벽

집이 되기 위해서는 가장 먼저 터를 파고 기초 공사를 한다. 그다음에 벽을 세운다. 벽이 없으면 집이 이루어지지 않는다. 공간을 나누지 않고는 온전한 집으로서 역할하기 힘들다. 집 전체의 모양을 나타내는 가장 바깥 벽, 외벽이 있고, 내부에 공간을 나누는 벽, 내벽이 있다.

* 촉진하다: 다그쳐 빨리 나아가게 하다.

우리 인류가 집을 처음 만들었을 때는 하나의 공간인 움막 형태였다. 그 공간은 비바람을 피하고, 힘센 들짐승으로부터 몸을 보호할 수 있으면 되었다. 그러나 지금 우리의 집에서 공간을 나누는 벽이 없다고 상상해 보자. 화장실은 있는데 벽이 없다면 어떨까? 화장실에 갔는데 벽이 없어 볼일을 못 보고, 끙끙거리는 꿈을 꾸다가 깬 경험이 있을 것이다. 깨어나자마자 우리는 급하게 화장실로 달려가곤 했다. 현실에서는 벽이 없는 집은 불편하고, 집으로서 기능을 제대로 하지 못한다.

회색 시멘트 벽으로만 공간을 나눈다면 차갑고 삭막해서 견디기 힘들 것이다. 아름다움을 추구하는 인간은 벽을 또하나의 예술 공간으로 창조하려고 무던히 애쓴다. 꽃무늬 벽지를 바르기도 하고, 옅은 연두빛, 분홍빛 벽지를 바르기도 한다.

옛날 나는 계룡산 연천봉 아래 깊은 산골에 살았는데, 우리 집은 벽지 대신 신문지를 발랐다. 신문지에 쓰여 있던 글을 보면서 한글을 익혔다. 벽에 붙어 있던 신문지에서 지금도 눈에 선한 글씨는 '서울우유'이다. 아마도 서울우유를 선전하는 것이었으리라.

지금은 벽지뿐만 아니라 대리석으로 치장을 하기도 한다. 더 멋지게 더 아름답게 하기 위해 꾸준히 고민하는 것이다. 그러나 누구는 벽을 꾸미기 위해 많은 자본을 사용하지만 누구는 경제적 여유가 없어 곰팡이 핀 벽지를 보고도 한

숨만 짓는 사람도 많다. 왜 이리 빈부 격차가 심한지 고민해 보고, '나'는 자라서 소외된 이웃에 대해 어떤 마음으로 살아가야 할지 생각해 봐야 한다.

지금은 사물 인터넷 시대이다. 사물 인터넷(Internet of Things)의 뜻을 보면 말 그대로 '사물들(Things)'이 서로 '연결된(Internet)' 것 혹은 '사물들로 이루어진 인터넷'을 말한다. 기존의 인터넷이 컴퓨터나 휴대 전화에 서로 연결되어 구성되었던 것과는 달리, 사물 인터넷은 벽, 냉장고, 자동차, 가방, 침대, 가스레인지 등 세상에 존재하는 모든 사물이 인터넷과 연결되어 구성된 것이다.

우리는 근사한 강가를 내려다보면서 욕조에 누워 따뜻한 휴식을 취하고 싶다. 그러나 우리가 사는 오밀조밀한 아파트는 그럴 여유가 없다. 인간의 이런 욕구를 반영하여 욕실 벽에 사물 인터넷이 설치되고, 이것을 터치하면 근사한 자연 풍경이 펼쳐지는 집도 있다.

마이크로소프트 사의 창립자이자 세계적인 갑부인 빌 게이츠(Bill Gates)의 집은 특별하다. 대지 면적은 6만 6,000평방피트(약 1,854평)이다. 이 집을 방문하는 사람에게는 마이크로칩이 달린 핀을 준다. 이 핀에 달린 센서가 개인의 취향과 몸 상태에 맞춰 음악, 온도, 빛 등을 자동으로 조절해 주는 것이다. 이것은 집의 벽과 바닥에 센서 장치가 삽입되어 가능한 것이다. 지금은 이런 자동 센서는 일부 저택에서만 사용되고 있다.

작동 스위치를 누르지 않아도 벽에 있는 센서가 우리의 마음을 스스로 읽어서, 슬플 때는 노란 튤립이 피고, 안락의 자가 놓여 있는 정원에서 아이들이 깔깔거리고 웃는 모습을 보여 주며 기쁜 마음을 느낄 수 있게 해 줄 수도 있다. 마음이 흥분되었을 때는 눈 내린 깊은 산속에서 푸르름을 뽐내며 서 있는 소나무를 보여 주면서 마음을 차분하게 달래 줄 수도 있다. 벽이 단순히 공간을 분리하는 기능에서 벗어나 우리가 원하는 풍경을 만들어 내는 것이다. 벽은 계속 진화할 것이다.

## 자연과 사는 공간을 분리하는 건물 밖의 벽, 외벽

건물 정면의 외벽을 '파사드'라고 한다. 파사드는 라틴어 'Facies'에서 유래한 말이다. 얼굴을 뜻하는 'Face'와 외모를 뜻하는 'Appearance'가 합성된 말로 건물의 얼굴이라 할 수 있다.

우리는 건물의 외벽을 통해 그 건물 안에서 사람들이 어떤 일을 하는지 짐작할 수 있다. 물건을 파는 상가인지, 사람이 사는 주택인지, 아니면 사무실이 밀집해 있는 빌딩인지 판단할 수 있다. 이렇게 파사드를 보면서 건물의 기능을 파악한다. 더 나아가 파사드를 통해 따뜻한 느낌, 차가운 느낌, 부드러운 느낌, 강한 느낌, 편안한 느낌, 불안한 느낌을 갖기도 한다. 주변 자연과 동떨어져 하늘 높이 우뚝 서 있는 빌딩과 고층 아파트를 보면서 우리는 삭막함과 불안함을 느낀다. 건물 벽을 통해 불안함을 느끼고, 그 불안함에 계속 노출되면 인간은 자기도 모르게 스트레스를 받고, 건강을 해치기도 한다. 과도한 소음에 계속 노출되면 귀가 멍해지면서 나중에는 청력에 이상을 느끼는 것처럼, 건축물을 통해 불편한 마음을 계속 느끼게 되면 마음의 병에 걸릴 수도 있다. 이렇게 외벽은 굉장히 중요하다.

그렇다면 건물의 외벽이 어떤 모양일 때 불안함을 느끼거나 편안함을 느낄까? 옛날 우리 조상들이 살았던 집을 상상해 보자. 산자락을 등에 지고, 산 *능선과 선을 같이하면서 부드럽게 이어져 있는 초가지붕을 보면 왠지 포근한 정을 느낀다. 우리 조상들은 사람이 사는 집을 주변 산보다 높게 짓거나 산봉우리에 짓지 않았다. 인간도 자연의 일부고, 인간이 사는 공간도 자연과 조화를 이루어야 한다는 생각을 가지고, 가장 자연스러운 주거 공간을 짓고 살았다.

캐나다 토론토에는 마이클 리친(Michael Lee-Chin) 크리스털 박물관이 있다. 이것은 로열 온타리오 박물관에 새로 증축된 건물이다. 외관을 보면 날카롭고 불안하다. 건물 외벽이 유리와 강철로 되어 있고, 옆으로 쓰러질 듯한 건물 모양으로 그 곁을 지나갈 때는 걸음이 빨라질 것 같다. 글로벌 여행 전문 인터넷 사이트 버추얼투어리스트(Virtualtourist)는 2009년에 이 건물을 세계에서 가장 추한 건물 8위로 뽑았다. 새로 증축된 건물에는 세계 유명한 문화재들이 전시된

* 능선: 산등성이를 따라 죽 이어진 선.

로열 온타리오 박물관 건물에 증축된 마이클 리친 크리스털 박물관

다. 물론 한국 전시실도 있다. 사람들은 널찍한 실내 공간과 세계 여러 나라의 문화를 한눈에 볼 수 있다는 장점보다는 날카로운 외벽을 보면서 건물에 대한 반감을 갖게 되었다.

우리는 곡선을 보면 부드러움과 편안함, 아름다움을 느끼고, 삐죽빼죽한 직선의 모양을 보면 딱딱하고, 차갑고, 불안한 느낌이 든다. 인간은 자연과 어울려 진화해 오면서 자연환경과 친근할 때 평화로움을 느끼고, 이에 상반되는 것에는 혐오스러움을 느끼게 된 것이다. 우리가 건물을 지을 때, 단순히 특별하고, 독특하여 눈에 잘 띄는 것을 생각하기보다는 주변 환경과 얼마나 잘 어울리는지를 생각해야 한다.

대도시 한복판에 높이 서 있는 빌딩은 받아들일 수 있다. 그러나 깊은 산골에 우뚝 솟은 건물을 받아들일 수 있겠는가? 왠지 건물에 대한 미움이 생기지 않겠는가? 전국 방방 곡곡 경치 좋은 곳에는 사람의 흔적이 여지없이 스며들었 다. 사람들이 산자락을 파헤쳐 전원 주택지를 만들기도 하 고, 각종 휴양지들이 산허리를 잘라 내고 우뚝 솟아 있다. 건물이 자연과 동떨어져 우뚝 솟은 모습을 보면 인간이 자 연으로부터 소외되는 느낌이 든다. 가장 자연스러운 것이 가장 아름다우며, 가장 아름다운 것이 가장 자연스러운 것 이다. 우리 동네에 있는 건축물들을 찬찬히 보자. 어떤 건물 이 가장 마음에 드는가? 어떤 건물이 가장 아름다운가? 가 장 자연스럽다고 느끼는 건물은 어떤 것인가? 왜 그렇게 생 각하는가?

### 공간을 따뜻하게 감싸는 난방, 온돌과 난로

눈보라는 휘몰아치고 찬바람이 뼛속까지 스며들 때, 무 거운 책가방을 메고 종종걸음으로 집에 도착해서 현관문을 여는 순간 느껴지는 따뜻한 기운! 밖은 저리도 차가운데 집 안 공기는 참으로 아늑하다. 집을 따뜻하게 해 주는 것은 무 엇일까? 그것은 난방이다.

우리나라에는 전통적인 난방 방식으로 온돌이 있다. 우리 나라에 처음 온돌이 나타난 것은 기원전 5,000년경 신석기 시대부터이다. 아주 옛날 우리 조상들은 움집에서 살았다. 움집에서 추위를 해결하기 위해 불을 피웠고, 처음에는 돌 멩이를 데워서 추위를 녹였다. 그러다가 불을 피울 때 움집에 퍼지는 연기를 해결하기 위해 화덕에서부터 밖으로 통로를 만들었다. 그 통로가 따뜻해지는 것을 느끼고 통로의 수를 늘려 갔고, 그것이 *구들이 되었다. 이처럼 구들을 사용하는 난방 장치를 온돌이라고 한다.

온돌 방바닥에 *두둑을 여러 개 쌓고 그 위에 돌을 얹어 통로를 만든다. 그 통로가 바로 고래이다. 고래를 타고 흘러 들어간 온기로 돌이 뜨거워지는 것이다. 돌은 특성상 천천히 뜨거워지고, 천천히 식는다. 그래서 추운 겨울 저녁에 불을 때 놓으면 아침까지 따뜻함을 유지할 수 있다. 온돌은 우리 집과 동떨어져 따로 설치되는 것이 아니라 집 안에 함께 존재한다. 집과 온돌은 하나가 된 것이다.

추위를 해결하기 위해 온돌을 사용하는 것은 세계적으로 우리나라가 유일하다. 서양의 난방은 집과는 별개인 난로를 사용한다. 우리의 구들은 집의 일부분이다. 집을 지을 때 구들이 먼저 바닥 아래 공간을 차지하고 앉는다. 그 구들의 따뜻함이 전해질 때 우리는 편안함을 느낀다. 난방을 위해 사용했던 연료는 시대에 따라 다르다. 아주 옛날에는 모두가 산에서 나무를 해다가 땔감으로 사용하였다. 그다음에는 연탄을 사용했고, 지금은 대부분의 집에서 가스와 전기, 석유를 사용하고 있다.

* 구들: 고래를 켜고 구들장을 덮어 흙을 발라서 방바닥을 만들고 불을 때어 난방을 하는 구조물.
* 두둑: 주위보다 가운데가 솟아서 불룩한 곳.

학교 공간의 난방에는 우리 전통인 온돌이 아니라 서양처럼 난방 기기가 이용된다. 온풍기가 돌아가는 교실은 공기가 탁해진다.

아이들은 "선생님 난방 끄면 안 돼요? 머리가 아파 와요."라고 말하곤 한다.

교실 바닥에 온돌을 깔면 어떨까? 교실 바닥에 온돌을 깐 학교도 더러 있긴 하다. 따뜻한 온돌이 깔리면 좀 더 편안하고, 열린 마음으로 공부할 수 있지 않을까? 안방 같은 교실에서 아이들은 마음의 편안함을 느끼고, 그 편안함은 서로 존중하는 자세로 이어진다. 내 마음이 편안해야 상대방을 배려하는 마음의 여유가 생기는 것이다. 내 머리가 아프고, 내가 스트레스를 받는데 남을 배려하고, 존중하기는 어렵다.

교실 바닥 전체를 온돌로 만들기는 어렵지만 부분적으로 온돌을 설치해 놓고, 우리가 편안하게 책도 읽고, 이야기도 할 수 있는 공간을 만들어 보자. 요즈음은 도서관을 중심으로 바닥에 온돌을 설치하는 학교가 늘고 있다. 따뜻한 바닥에 뒹굴며 책을 읽고, 그것에 행복감을 느낀 사람은 꾸준히 책을 읽을 것이고, 이것은 세상을 살아가는 힘이 될 것이다. 책을 읽으라고 누누이 강조하면서 막상 도서관에 가면 삭막하고 차가운 기운만 맴돈다면 도서관으로 가는 발걸음은 점점 더 뜸해질 것이다. 도서관을 아이들이 언제나 찾고 싶은 따뜻한 공간으로 만들어야 한다.

「몸을 편히 눕힐 수 있는 공간」을 읽고 다음 물음에 답해 봅시다.

**1. 이 글의 내용을 떠올리며 빈칸에 들어갈 알맞은 말을 <보기>에서 찾아 넣어 봅시다.**

- _____ 은 내 모습은 감추고 남을 볼 수 있게 하는 역할을 한다.
- 우리는 건물의 _____ 을 통해 그 건물 안의 사람들이 어떤 일을 하는지 짐작할 수 있다.
- _____ 은 우리의 감정을 표현하는 수단이 되기도 하고, 가족과 소통하는 통로가 되기도 한다.

방문  창문  바닥  거실  내벽  외벽  온돌

**2. 다음의 내용을 바탕으로 글쓴이가 이상적으로 생각하는 거실의 모습은 어떠할지 이야기해 봅시다.**

옛날 우리 조상들의 집 구조에서 거실은 대청마루에 해당한다. 마루는 마실 온 옆집 아주머니와 이야기를 나누던 곳, 놀러 온 친구와 소꿉놀이도 하던 곳, 가족이 함께 모여 둥그런 상에 둘러앉아 밥을 먹던 곳이다.

그러나 지금 거실은 단지 가족들이 함께 앉아 있는 곳이다. 아이들은 거기 있다가 부모님이 들어오면 바퀴벌레처럼 슬금슬금 하나둘 제 방으로 기어 들어가고 만다.

# 치킨: 세계인의 인기 단백질 공급원

이지선

## 식을 줄 모르는 치킨의 인기,
## 바야흐로 인류세는 '닭의 지질 시대'

우리나라의 성인은 1년에 약 16킬로그램 정도 이 고기를 먹어요. 10가구 가운데 7가구는 1주일에 1번 이것을 먹지요. 전 세계에서 기르는 가축 300억 마리 가운데 230억 마리는 대략 이것이에요. 이것은 무엇일까요?

바로 닭고기예요. 닭고기로 말할 것 같으면, 부모님 세대의 '통닭'에서부터 지금 10대에게 익숙한 '치킨(Chicken)'에 이르기까지 닭을 빼곤 외식을 논할 수 없을 만큼 굳건한 위치를 차지하지요. '치킨'과 '하느님'을 결합한 '치느님'이라는 신조어가 등장할 정도로 인기 만점의 야식 메뉴로

자리매김한 지 오래입니다.

　세계적으로도 그 인기는 마찬가지예요. 돼지고기나 소고기와는 달리, 여러 이유로 다양한 문화권 어디서나 선호하는 육류입니다. 경제 협력 개발 기구(OECD) 통계에 따르면, 20세기까지 가장 많이 소비되는 육류는 돼지고기였어요. 하지만 21세기에 들어와서 닭고기 소비량이 돼지고기를 추월하기 시작했지요. 1990년대 이후 돼지고기와 소고기의 소비량은 정체된 반면, 닭고기 소비량은 지금도 계속 늘어나고 있어요. 2018년 기준으로 경제 협력 개발 기구 회원국 국민의 1인당 평균 닭고기 소비량은 30킬로그램을 넘어섰지만, 돼지고기는 약 24킬로그램, 소고기는 약 15킬로그램이에요. 닭고기와 돼지고기 소비량의 역전이 생긴 시점은 2000년입니다. 닭고기 값이 상대적으로 싼 데다 건강을 생각해 적색육보다는 백색육 소비가 늘어났기 때문이에요.

　그래서일까요? 지질학자들은 *지질 시대를 인류가 환경에 끼친 영향이 막대해진 20세기 중반 이후를 기준으로 '인류세(人類世, Anthropocene)'라는 별도 시기로 나누어야 한다는 주장을 펴 왔는데, 만약 인류세가 만들어진다면 가장 큰 특징 중 하나가 '닭'이 될 것이라고 분석하기도 해요. 연간 650억 마리의 닭이 식용으로 소비되고, 230억 마리는 인류와 공존하고 있다는 논문도 나왔지요. 전 세계 인구가 78억 명이 넘으니 1명당 3마리가량의 닭이 돌아가는 셈이죠. 인

---

* 지질 시대: 지구가 생성되고 지각이 형성된 이후부터 현세까지의 기간.

류가 이렇게 엄청난 수의 닭을 빠른 속도로 소비하기 때문에 썩지 못한 닭 뼈가 쌓일 수밖에 없고, "후세가 발견한 인류세의 지층엔 닭 뼈가 가득할 것"이라는 말도 나옵니다.

경제 협력 개발 기구와 유엔 식량 농업 기구(FAO)의 2020년 통계를 보면, 1인당 닭고기 소비량이 가장 많은 나라는 이스라엘이에요. 그 뒤를 말레이시아, 페루가 차지해요. 사우디아라비아도 경제 협력 개발 기구 평균치(33킬로그램)보다 많은 양을 소비해요. 유대인은 종교적인 이유로 돼지고기를 먹지 않는데, 이스라엘의 닭고기 소비량이 많은 이유는 이 때문인 것 같습니다. 전체 닭고기 최대 소비 국가인 미국, 전 세계에서 닭고기를 가장 많이 수출하는 나라 중하나인 브라질의 1인당 닭고기 소비량도 상당하지요.

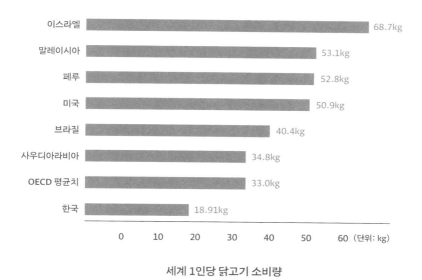

세계 1인당 닭고기 소비량

한국은 어떨까요? 1인당 닭고기 소비량이 18.91킬로그램이에요. '1인 1닭'의 나라라는 명성에 비해 많지 않아 의외라고요? 그런데 1980년에 비해 2018년에는 6배 가까이 증가하는 등 한국의 1인당 소비량은 계속 늘었어요. 2028년에는 지금보다 16.4킬로그램이 더 늘 것이라는 예상입니다. 게다가 외식업계의 선두 주자 치킨의 인기는 식을 줄 몰라요. 2019년 한 금융 업체가 치킨 분석 보고서를 펴냈는데, 한국에서 가장 많이 시켜 먹는 배달 음식 1위가 치킨이었어요. 그만큼 치킨 업계도 많습니다. 치킨 프랜차이즈는 외식 프랜차이즈 가맹점의 21퍼센트로 가장 많지요.

1위라는 통계의 이면에는 어두운 그림자도 있어요. 창업 비용이 상대적으로 적게 들고 특별한 기술 없이도 가게를 열 수 있다는 점에서 치킨집이 성업 중이지만, 단위 면적당 매출액이 다른 업종에 비해 적고 업체 수가 많은 만큼 경쟁도 치열해요. 그만큼 폐업하는 경우도 많아요. 닭고기 수요가 계속 늘어난다고 해도 치킨집이 더불어 지속 가능할지는 의문이 남습니다.

### 치킨계의 라이징 스타, 너깃과 '스모 닭', 치킨노믹스의 시작!

여러분은 닭 1마리를 통째로 사서 먹는 경우가 많은가요? 아니면 닭다리, 닭봉, 닭가슴살 등 부위별로 포장된 상품을 구매하거나 혹은 순살치킨, 치킨너깃처럼 아예 가공된 상품을 구매하나요? 아마 후자의 경우가 더 많을 거예요. 사람마다 입맛이 다르기도 하고 뼈를 발라낼 필요 없는 가공된 식품이 더 편하니까요.

자, 그럼 우리 모두가 사랑하는 치킨은 대체 어떻게 해서 우리 식탁에 오르게 될까요? 바로 이 순간 '치킨노믹스(Chickenomics)', 즉 치킨 경제학이 시작됩니다. 닭이 동물이 아닌 상품이 되고 산업이 되기 시작한 순간부터 말이에요. 닭이 상품이 되면 생산 과정 또한 경제학의 원리를 따라가지요. 일단 업체들은 닭을 크게 키우기 시작해요. 큰 닭의 생산성이 높기 때문이에요. 쉽게 설명해 볼까요? 닭 1마리에서 나올 수 있는 닭고기 양이 많을수록 업체는 이익을 봅니다. 사료비는 똑같은데 더 큰 닭을 키울 수 있다면 당연히 남는 이익은 더 커지지요. 그래서 닭의 품종 *개량이 시작됩니다. 더 많은 고기, 더 맛있는 고기를 생산해야 하니까요. 특히 패스트푸드 업체를 중심으로 너깃과 치킨버거에 쓰이는 닭고기 패티 등의 수요가 늘자, 닭의 가슴살을 비정상적으로 크게 키운 품종이 생산되기 시작했어요. 몸집이 거대해진 스모 선수 체형으로 변한, 이른바 '스모 닭'이 등장한 거죠.

닭이 자라는 속도를 생각해 볼까요? 닭이 빨리 자라 판매 가능한 일정한 무게에 더 빨리 도달할수록 업체의 이익은 커지겠지요. 그래서 그 방향으로도 품종 개량이 이뤄졌어

* 개량: 질과 기능을 더 낫게 고치는 것.

요. 1970년대에는 닭이 판매 가능한 몸무게에 도달하려면 10주가 걸렸는데, 개량된 닭 품종은 40일이면 다 커요. 계산하면 닭을 한 번밖에 팔지 못할 시간에 두 번 가까이 판매할 수 있게 됐다는 뜻이죠. 당연히 이는 매출 증대로 이어집니다. 닭의 수명이 5년에서 13년인 점을 감안하면 아주 어린 병아리 시절에 이미 고기가 되어 버리는 것이지요.

경제학적 측면에서 본다면 순조로운 전환일지 모르나 이 변화는 닭으로서는 큰 재난이에요. 불어난 몸에 비해 다리는 지나치게 가늘고 약하다 보니 관절과 근육에 무리가 가기 시작했어요. 통증 때문에 다리를 제대로 펴지도 못하는 닭도 있어요. 가슴살만 커지다 보니 살이 흐물흐물해지고 수분이 빠지는 증상도 생겨요. 닭에게 처참한 이 현실은, *양계 업계로서는 '상품'의 맛이 떨어지는 고민으로 이어졌어요. 그래서 가공 과정에서 수분이 빠져나가지 못하도록 인산염이나 소금 등을 첨가하게 됐어요.

2002년 이스라엘에서는 '깃털 없는 닭'까지 만들어졌어요. 털이 다 손질되어 가공을 마친 맨살의 닭처럼 보이지만 실제로는 살아 있는 이 닭의 모습은 상당히 충격적이에요. 왜 이런 기이한 모습의 닭까지 만들어진 걸까요? 다름 아닌 깃털 제거 과정을 생략해 비용을 아끼려는 기업의 속셈 때문입니다.

* 양계: 닭을 기르는 것.

앞서 말한 대로 닭을 키워 닭고기를 생산하는 일은 산업이 되었어요. 상품이 된 닭에는 효율성을 극대화하는 방향으로 품종 개량이 행해졌고요. 기업 입장에서는 상품 자체를 혁신하려는 노력에 더해 또 무엇이 필요할까요? 바로 상품 생산 라인을 효율적으로 만드는 일입니다. 집 뒷마당에서 몇 마리씩 키우던 닭의 규모를 점차 늘려 규모의 경제를 실현하자는 것이 그 핵심 개념이에요. 바로 '공장식 축산' 방식이 도입된 것이지요.

대형 육가공 업체가 그 중심에 서서 양계 농가를 아우릅니다. 개별 축산업자나 농부와 계약을 맺고 사육 방법이 담긴 매뉴얼과 함께 알이나 병아리를 보내 줘요. 그뿐만이 아니에요. 어떤 사료를 먹일지, 병든 닭에게는 어떤 약품을 투입할지까지 모두 정해서 내려보냅니다. 닭이 어느 정도 크면 가공 공장으로 옮겨야 하는데 이를 운반할 운송업자까지 대형 업체가 책임지지요. 이러한 수직 계열화는 1970년대에 미국에서 자리 잡은 모델로, 대표적인 기업 타이슨 푸즈(Tyson Foods)의 이름을 따 '타이슨 모델'로 불려요. 이런 생산 과정을 거치면서 닭고기 생산량이 폭발적으로 늘었어요.

대형 업체들은 수직 계열화에서 그치지 않아요. 계약을 맺은 소규모 농가에 대해 성과에 따라 순위를 매기고 경쟁을 붙입니다. 정해진 값을 주는 게 아니라 순위에 따라 농부들이 받는 돈이 달라지는 구조입니다. 대형 업체는 돈을 벌지만 결국 농부들은 이윤에서 소외되기 시작했어요.

하지만 이 모델은 더는 미국만의 것이 아니에요. 브라질에서도, 중국에서도, 태국에서도 대형 업체들이 이 모델을 도입하고 있어요. 태국의 대기업 차론 폭판드(Charoen Pokphand, CP) 그룹은 여러 나라에 걸쳐 사료 생산 라인, 닭고기 사육장을 두는가 하면 태국에 거대 패스트푸드 체인을 소유하고 있어요. 닭고기의 생산과 소비에 이르기까지 전체 과정에서 CP 그룹이 관여할 수 있는 판을 만들어 둔 셈이죠. 닭고기 생산이 늘어나면 같은 그룹 소유의 패스트푸드 체인에서 소비하면 되니까요.

이 과정에서 여러 문제점이 생겨났지만 가장 주목할 만한 점은 조류 인플루엔자 같은 치명적인 감염병이 *가금류 농장, 아니 공장에서 발생했다는 거예요.

1997년 홍콩을 시작으로 고병원성 조류 인플루엔자 A(H5N1) 바이러스가 번져 나갔어요. 홍콩뿐만이 아니에요. 2003년 이후 한국에서도 여러 차례 조류 인플루엔자가 발생했으며, 미국에서도 H5N1이 아닌 저병원성이지만 여러 종류의 조류 인플루엔자가 발생했어요. 이 병원균은 면역이 약한 개체군으로 옮겨 가며 감염을 일으키고 피해를 키우는데, 대규모로 닭을 키우다 보면 병원균이 옮겨 가기 쉬운 환경이라 병이 퍼지기 쉬워요. 게다가 품종 개량으로 인해 얼마 살지도 못하고 도축되는 닭의 면역력은 극도로 떨어진 상태예요. 그

* 가금류: 고기나 알을 식용으로 소비하기 위해 사육하는 조류.

만큼 감염 위험이 크다는 뜻이에요. 대규모 축산으로 닭이 병들면 그 °여파가 고스란히 인간에게도 돌아오게 되지요.

이런 상황을 알기에 대규모 양계 농가의 출입은 엄격하게 통제되고 있습니다. 최근 CP 그룹은 여러 센서와 카메라를 장착한 이동식 휴머노이드 로봇을 양계 농장에 배치해서 체온이 급격하게 높아지거나 움직임이 없는 닭을 구별하게 하기도 했어요. 사람의 출입을 가능한 한 줄이려는 시도예요. 지금도 조류 인플루엔자는 2~3년을 주기로 발생하고 있어 예방이 더욱 중요해지고 있습니다.

### 당연히 모든 치킨은 옳을까?
### 진정으로 옳은 치킨을 위하여!

'불금'이면 가족이나 친구들과의 즐거운 한때를 완성해 주는 인기 만점 음식, 치킨. 우리가 즐겨 먹는 닭의 생장 뒤에 이런 환경과 구조가 있다는 사실, 조금은 짐작해 본 적이 있나요? 어쩌면 우리가 닭과 어떻게 공존하느냐는 인간의 미래를 보는 °단초가 될 수 있을 것 같아요. 최근 여러 양계장에서 닭이 스트레스와 질병에 노출되지 않도록 케이지와 축사 면적을 넓히는 등 사육 환경을 개선하는 변화가 일고 있지요. 또한 이런 농장이 생산하는 닭과 달걀에 대한 소비자의 관심도 커지고 있습니다.

* 여파: 어떤 일이 끝난 뒤에 남아 미치는 영향.
* 단초: 일이나 사건을 풀어 나갈 수 있는 첫머리.

이제 치킨은 세계인의 대표적인 단백질 공급원이자 '소울 푸드'가 되었습니다. 더 건강하게, 혹은 더 올바르게 닭을 먹을 방법은 분명 있을 거예요. 유기농 운동이나 로컬 푸드 운동이 대표적인 예라고 할 수 있지요. 인류세를 대표하는 동물인 닭과 인간의 관계는 앞으로 어떻게 변화하게 될까요? 앞으로 닭은 우리의 식탁 위에 어떤 모습으로 오르게 될지 궁금합니다.

더 알아보기

**공장식 축산의 현재**

공장식 축산은 결국 °집약적 사육으로 귀결된다. 공간 효율성을 극대화해 비용을 절감하겠다는 의도다. 어떤 닭들은 '배터리 케이지(Battery Cage)'라고 불리는 사육장 안에서 평생을 살기도 한다. 우리의 크기는 사방 20~25센티미터 정도다. A4 용지보다 작은 이 케이지 안에 닭을 넣고, 닭이 든 케이지를 몇 미터 높이로 쌓아 둔다.

케이지를 쓰지 않는 '케이지프리(Cage-free)' 방식의 농장이라고 하더라도 닭들이 다닥다닥 붙어서 살기는 매한가지다. 서로를 공격하지 않도록 부리는 어릴 때 미리 잘라 내기도 한다. 농장은 빛이 잘 들지 않고, 바람이 통하지 않아 인공 환풍 시설이 필수적이다. 닭들이 그대로 배변하고 그 위에서 다시 생활하기 때문이다.

● 집약적: 하나로 모아서 뭉뚱그리는 것.

이런 환경에서 살아가는 닭은 얼마나 고통스러울까? 이미 수십 년 전부터 공장식 축산은 동물권을 심각하게 위반하고 있다는 비판에 직면했다. 2003년부터 유럽 연합(EU)은 이런 목소리를 반영해 배터리 케이지를 새롭게 만드는 일을 금지했다. 2012년부터는 산란기 닭은 기존의 배터리 케이지에 넣을 수 없도록 강제하고 있다.

한국도 상황은 비슷하다. 케이지 사육을 하다 보니 조류 인플루엔자가 발생하면 닭이 수만 마리씩 한꺼번에 살처분된다. 이후 우리 정부도 닭의 사육 면적을 1.5배 넓히고 케이지 높이를 9단 이하로 규제하는 등 시행령을 마련했다. 또한 '동물 복지 축산 농장 인증 표시' 등을 도입했다. 하지만 아직도 갈 길이 멀다.

동물권 보호 단체를 중심으로 소비자가 이 같은 상황을 인식하고 소비 패턴을 바꿔야 기업이 바뀌고 실질적으로 변화를 끌어낼 수 있다는 주장도 나온다. 예를 들어, 달걀에 새겨진 난각 번호 도입 등이 있다. 달걀 껍데기에는 영문과 숫자가 조합된 스탬프가 찍혀 있는데 이 가운데 맨 끝 번호가 닭의 사육 상태를 알리는 숫자다. 1, 2번은 케이지프리 환경에서 자란 닭이 낳은 알이라는 뜻이다. 우리가 이 정보를 인지하고 소비에 참고한다면 소비자 요구에 예민한 기업이 변화하고, 닭도 조금 더 깨끗하고 쾌적한 환경에서 자랄 수 있지 않을까?

「치킨: 세계인의 인기 단백질 공급원」을 읽고 다음 물음에 답해 봅시다.

## 1. 빈칸을 채우며 이 글의 내용을 정리해 봅시다.

> **이 글에 나타난 문제 상황**
>
> • 닭이 동물이 아닌 _____ 으로 인식되면서 닭의 생산성을 높이기 위한 _____ 이 이루어졌다.
> • 대형 업체가 주도하는 _____ 방식이 도입되면서 소규모 농가는 이윤에서 소외되기 시작했고, 조류 인플루엔자 같은 치명적인 _____ 이 발생했다.

**우리가 해야 할 일**

더 건강하고 올바르게 닭을 먹을 방법에 관심을 가진다.

## 2. 다음 글을 활용하여, '조류 인플루엔자, 닭은 죄가 없다'(173쪽)라고 소제목을 붙인 까닭을 생각해 봅시다.

조류 인플루엔자는 사람들이 수시로 겪는 감기 같은 것으로 본래 야생에 사는 새들이 가지고 있던 자연스러운 질병이다. 하지만 비위생적이고 좁은 곳에서 공장식으로 길러지는 닭에게는 치명적일 수 있다. 실제로 공장식 축산 방식이 도입된 90년대 이후로는 조류 인플루엔자의 발병 확률이 높아지고 전염 속도가 빨라졌다.

# 동네 쓰레기를 하루아침에
# 사라지게 하려면

공규택

얼마 전 EBS 교육 방송의 한 프로그램에서 재미난 실험을 했습니다. 서울의 어느 한 동네, 이곳에는 늘 쓰레기가 쌓이는 담벼락이 있습니다. 담벼락에는 누군가 쓰레기를 버리지 말라는 내용의 호소문을 붙여 놓았습니다. 바로 옆 전봇대에도 쓰레기 무단 투기를 엄중히 경고하는 빨간색 글씨가 대문짝만 하게 붙어 있습니다. 그러나 소용이 없습니다. 환경미화원이 매일같이 쓰레기를 가져가도 하룻밤만 지나면 또다시 많은 양의 쓰레기가 쌓입니다. 급기야 CCTV를 설치해 보았으나, 설치한 당일에 조금 효과가 있었을 뿐 이내 쓰레기가 쌓여 갑니다. 어두운 밤이 되면 동네 사람들이 하나둘 쓰레기를 들고 와 슬그머니 담벼락에 내려놓고 사라집니다. 이곳의 쓰레기는 영원히 치울 수 없는 것일까요?

## 창의성으로 해결하라, 넛지 효과

그러나 작은 아이디어 하나가 믿기지 않을 만큼 놀라운 변화를 가져왔습니다. 바로 담벼락에 화단을 만들어 꽃을 심은 것입니다. 화단을 만들어 놓은 뒤 밤에 몰래 그 현장을 관찰해 보니, 어떤 사람이 커다란 쓰레기 봉지를 들고 와 잠시 주춤하더니 담벼락 밑에 버립니다. 그리고 그대로 가는가 싶더니 몇 발자국 가지 않고 다시 돌아와 쓰레기 봉지를 집어 들고 가져가는 것이었습니다. 다음 날 새벽, 여느 날처럼 쓰레기를 수거하러 온 환경미화원들은 깜짝 놀랍니다. 쓰레기가 온데간데없이 사라진 현장은 화단을 만들기 전과는 딴판이었지요.

대체 무엇이 사람들의 행동을 이토록 달라지게 한 것일까요? 이와 같은 현상을 '넛지(Nudge) 효과'라고 말합니다. '넛지'란 우리말로 '팔꿈치로 쿡쿡 찌르다.'라는 뜻입니다. 작은 자극으로 큰 변화를 일어나게 하는 넛지 효과는 많은 사람의 고정관념을 뛰어넘는 새로운 문제 해결 방법을 모색합니다. 넛지 효과가 인상적인 것은, 보편적으로 시행되는 강제적인 규제나 감시 대신에 자연스러운 참여를 유도해 사람들의 긍정적인 변화를 도모하기 때문입니다. 쓰레기가 상습적으로 버려지는 장소에 아름다운 화단을 조성함으로써 사람들이 스스로 쓰레기를 버리지 않도록 만드는 효과, 그

것이 바로 넛지 효과입니다. 이렇게 쓰레기를 함부로 버리는 사람들의 행동을 자발적으로 고치게 한 것처럼 창의성이 극대화된 넛지 효과로 우리 주변의 난제를 의외로 쉽게 해결할 수 있습니다.

## 천편일률적인 방법에서 벗어나라

독일에서는 한때 에스컬레이터 대신 계단을 이용하게 함으로써 전력을 아끼고자 하는 캠페인을 벌인 적이 있습니다. 하지만 편안한 에스컬레이터를 버리고 계단을 이용하라는 것은 사람들에게 설득력을 얻기 어려운 구호일 수밖에 없지요.

세계적인 자동차 회사인 폭스바겐(Volkswagen) 사는 한 지하철역 출구에 있는 계단을 피아노 모양으로 설계하고 그곳에 사람들이 발을 디딜 때마다 소리가 나도록 만들었습니다. 그랬더니 계단을 이용하는 사람들이 눈에 띄게 늘어나기 시작했습니다. 결국 이 피아노 모양 계단을 설치함으로써 자연스럽게 에스컬레이터를 사용하는 사람들의 숫자는 줄어들고 계단을 이용하는 사람들은 66퍼센트나 증가하게 되었습니다. 의외의 결과로 언론에서 오랫동안 화제가 되었던 이 사례를 통해 우리는 몇 가지 사실을 알 수 있습니다. 아무리 좋은 의도를 가지고 정책을 펴더라도 사람의 마음을 움직이지 못하면 효과를 거둘 수 없다는 것, 그리고 강제적이고 억압적인 법규나 제도가 사람들의 변화를 이끌어 내는 유일한 방법은 아니라는 사실입니다. *천편일률적인 방법에서 벗어나 사람들의 마음을 건드리는 창의적인 '넛지 디자인'이 사람들의 변화를 이끌어 낸 것이지요.

우리나라의 예를 들어 볼까요? 부산에는 급커브로 인해 사고가 자주 발생하는 지점이 있었습니다. 고속 주행이 가능한 도로의 곡선 구간에서 속도를 이기지 못한 차량들이 *전복되어 대형 사고로 이어지는 사례가 빈번했습니다. 사고 예방 캠페인을 벌이고, 속도를 줄이라는 경고문도 붙여 보고, 경찰이 현장에서 주기적으로 과속 단속을 해 보기도 했으나 커브 길 교통사고는 좀처럼 줄지 않았습니다.

그런데 당국에 넛지 효과를 이용해 교통사고 감소 효과를 거둔 미국 시카고의 사례가 접수됩니다. 시카고의 레이크쇼어 도로에서는 뛰어난 주변 경관으로 통행 차량이 많기 때문인지 교통사고가 빈발해 시 당국이 골머리를 앓다가, 백색 가로선을 그리면서 사고가 대폭 줄었다는 것입니다. 천편일률적인 단속에서 벗어나 운전자의 자율적인 변화를 꾀하고자 했던 부산시에서도 이를 참고해 새로운 도로 시설을 시범 운영하기로 결정합니다.

부산의 자동차 전용 도로에 설치된 이 도로 시설은 시카고의 도로와 마찬가지로 넛지 효과를 이용해 교통사고를 줄이는 역할을 합니다. 2010년에 설치된 이 도로는 커브 구간

• 천편일률적이다: 여럿이 개별적 특성이 없이 모두 엇비슷하다.
• 전복되다: 차나 배 등이 뒤집히다.

에 가까워질수록 간격이 좁아지는 하얀색 가로선을 그은 것이 특징입니다. 이 시설물은 구간별로 총 길이 300~400미터 구간에 백색 가로선을 긋되, 곡선 시작 지점부터 곡선 중심부로 갈수록 30미터, 20미터, 10미터로 가로선의 간격을 좁혀 운전자가 같은 속도로 달리더라도 중심부에 가까워질수록 속도감을 더 느끼도록 유도했습니다. 운전자가 실제보다 더 빠르게 속도를 체감해 급커브 길에서 스스로 속도를 줄이게 하는 방식입니다.

부산에 설치된 이 도로 시설은 강제적인 단속 없이 운전자의 자발적인 행동 변화를 일으키게 만드는 작은 자극(하얀색 가로선)으로 큰 변화(교통사고 감소)를 이끌어 낸 창의적인 사례라고 할 수 있습니다.

### 잔소리보다 강한 넛지의 부드러운 힘

이와 같은 넛지 효과는 공익을 목적으로 하는 캠페인에서 그 효과를 더 크게 기대할 수 있습니다. 세계적인 환경 보호 단체 세계 자연 기금(WWF)에서는 줄어드는 숲을 지키기 위해 종이 절약 캠페인을 벌였습니다. 그 *일환으로 낭비되는 화장지를 절약하기 위해 넛지 디자인을 가미한 창의적인 화장지 케이스를 선보였습니다.

이 화장지 케이스에는 지구의 허파로 불리는 아마존 일대 중심의 남미 지도가 그려져 있습니다. 그리고 아크릴판 너

---

* 일환: 서로 밀접한 관계로 연결되어 있는 여러 것 가운데 한 부분.

동네 쓰레기를 하루아침에 사라지게 하려면    (183)

**세계 자연 기금이 개발한 화장지 케이스**

머로 초록색 화장지가 쌓여 있습니다. 그런데 이 화장지 케이스에서 화장지를 1장 1장 뽑아 쓸 때마다 마치 눈금처럼 화장지 높이가 사라집니다. 이 모습은 '숲이 사라진다.'는 메시지를 비유적으로 전달합니다. 그래서 화장지를 사용하는 사람들로 하여금 남미의 숲이 사라지는 모습을 시각적으로 확인하게끔 해 자연스럽게 화장지를 절약하도록 유도합니다.

너무나 많은 종이를 쉽게 쓰고 버리는 현실에서 그것이 우리 모두 곧 지구의 자원이라는 것을 인식한다면 무분별한 종이 사용은 줄어들 수 있겠지요. 그러나 이런 변화는 쉽게 이루어지지 않습니다. 그래서 많은 사람들이 자연스럽게 종이 사용에 대한 문제를 인식하고 바람직한 행동을 하도록 유도한 이 아이디어가 더욱 돋보입니다. 화장지를 사용하는 사람들은 이 케이스에서 공익 캠페인이 전달하는 메시지를 자연스럽게 수용할 것입니다. 천 마디 잔소리보다 창의적으로 전달하는 이 부드러운 메시지가 훨씬 큰 효과를 거두었으리라는 것은 두말할 나위도 없겠지요?

「동네 쓰레기를 하루아침에 사라지게 하려면」을 읽고 다음 물음에 답해 봅시다.

**1. 이 글의 내용으로 옳은 것에는 ○ 표, 옳지 않은 것에는 × 표를 해 봅시다.**

- '넛지'란 우리말로 '팔꿈치를 쿡쿡 찌르다.'라는 뜻이다. ( ○ | × )

- 넛지 효과는 공익을 목적으로 하는 캠페인에서 그 효과를 더 크게 기대할 수 있다. ( ○ | × )

- 넛지 효과는 보편적으로 시행되는 강제적인 규제나 감시를 강화하여 사람들의 긍정적인 변화를 유도한다. ( ○ | × )

**2. 이 글의 내용을 바탕으로 다음 '옐로 카펫'에 사용된 넛지 효과에 관해 이야기해 봅시다.**

국제 아동 인권 센터가 고안한 '옐로 카펫'은 건널목의 대기 공간을 노란색으로 칠한 것인데, 이는 주변과 구분되는 공간에 들어가고 싶어 하는 아이들의 심리를 활용한 것이다.

아이들이 어른보다 추위를 덜 타는 까닭을 과학적으로 설명한 글입니다. 글에 나타난 정보를 바탕으로 글쓴이가 전달하고자 하는 바가 무엇일지 생각해 봅시다.

# 아이들은 어른보다 추위를 덜 탈까?

신인철

제가 이 글을 쓰고 있는 지금은 봄에서 여름으로 넘어가는 계절입니다. 이렇게 따뜻한 계절이 되면 지난겨울에는 얼마나 추웠는지 쉽게 잊어버리게 되지요. 하지만 아직도 기억날 정도로 지난겨울은 정말 추웠어요. 지구 온난화라는데 왜 이렇게 겨울은 점점 추워지는 것인지 불평하는 친구들도 많았어요. 하지만 기억을 더듬어 보면 저의 어린 시절도 요즘 못지않게 겨울의 추위가 매서웠어요.

제가 어렸을 때는 학교가 끝나자마자 골목에서 뛰어놀았답니다. 추우나 더우나 말이지요. 그때 한참 즐겨 하던 놀이가 '다방구'였어요. 서로 쫓아다니면서 뛰어다니는 놀이였지요. 어느 추운 겨울날 우리들이 뛰어다니는 모습을 쳐다

보던 한 할머니가 말씀하셨어요. "얘들아, 추운데 밖에서 놀지 말고 집에 들어가서 놀아." 그러자 옆에 계시던 할아버지가 고개를 내저으셨어요. "허허, 걱정하지 마시게. 애들은 추위를 안 타. 실컷 뛰어놀게 내버려둬."

정말 아이들은 추위를 어른들보다 덜 탈까요? 실제로 어른들은 어렸을 때는 추위를 타지 않다가 나이가 들면서 추위를 타게 되었다고 이야기하는 경우가 많아요. 도대체 왜 그런 것일까요?

### 갈색 지방에 열을 만드는 미토콘드리아가 많아

여러분은 '갈색 지방'이라는 말을 들어 봤나요? 우리 몸에 있는 지방은 대부분 흰색에 가까운 '백색 지방'이지만 갈색을 띠는 지방도 일부 존재해요. 갈색 지방이 갈색으로 보이는 이유는 지방 세포에 미토콘드리아가 많기 때문이에요. 미토콘드리아 안에는 '헴'이라는 분자를 가지고 있는 '시트크롬'이라는 단백질이 존재하는데, 이 헴이 많이 존재하면 지방이 갈색으로 보여요. 혈액이 붉게 보이는 이유도 적혈구 안의 헤모글로빈이 헴을 가지고 있기 때문이지요.

미토콘드리아는 세포 안에서 에너지가 많은 분자들을 분해해서 ATP라는 세포가 쓸 수 있는 형태의 에너지를 만든다고 했지요? 미토콘드리아는 분자들을 분해해서 ATP를 만들기도 하지만 추울 때에는 ATP를 만드는 대신 열을 만들어 내기도 해요. 갈색 지방의 지방 세포에 존재하는 미토콘드리아는 주로 열을 많이 만들어 내는 미토콘드리아예요. 그러니 갈색 지방을 많이 가지고 있으면 몸에서 열이 나 추위를 덜 타겠지요?

갓 태어난 신생아들은 몸의 지방 중 약 5퍼센트가 갈색 지방이에요. 성인의 경우는 0.1퍼센트도 되지 않고요. 신생아들은 주변의 온도가 낮아도 어른처럼 벌벌 떨 수 없기 때문에 갈색 지방이 꼭 필요하지요. 무슨 이야기냐고요? 여러분은 추우면 몸이 벌벌 떨리지요? 추울 때 몸이 떨리는 이유는 몸을 떨게 되면 체온이 좀 올라가기 때문이에요. 하지만 신생아들은 추위에 반응하며 몸을 떨 만큼 근육이 발달하지 못하였으므로 대신 갈색 지방에서 미토콘드리아가 내는 열로 체온을 유지할 수 있는 거지요.

### 갈색 지방을 많이 가지면 살이 적게 찐다고?

사람은 나이가 들어가면서 점점 갈색 지방을 잃게 돼요. 그러니까 어른들이 하던 말씀인 '아이들은 추위를 타지 않는다.'가 어느 정도 맞는 이야기라고 할 수 있겠지요? 그런데 어른이 되어서도 일부의 사람들은 갈색 지방을 다른 사람보다 많이 가지고 있어요. 갈색 지방을 많이 가지고 있는 사람들은 갈색 지방 속의 미토콘드리아가 열심히 에너지를 소비하기 때문에 같은 칼로리의 음식을 섭취하여도 살이 적게 찐다고 해요. 갈색 지방을 많이 가질 수 있는 방법이 존재한다면 굳이 힘들여 다이어트를 하지 않아도 먹고 싶은 음식을 얼마든지 먹으면서 몸매를 유지할 수 있지 않을까요?

실제로 최근의 열구 결과에 의하면 몸의 온도를 차게 유지하면 갈색 지방의 양이 늘어날 수 있다고 해요. 날씨가 춥다고 따뜻한 방 안에서 컴퓨터 게임만 할 것이 아니라 밖에 나가서 열심히 뛰어놀아야 할 충분한 이유가 되겠지요? 어린 시절 가지고 있던 갈색 지방을 어른이 되어도 많이 유지해야 비만도 막을 수 있고 장수할 가능성이 높아집니다.

「아이들은 어른보다 추위를 덜 탈까?」를 읽고 다음 물음에
답해 봅시다.

**1. 빈칸에 알맞은 말을 넣어 '갈색 지방'의 특징에 대해 정리해 봅시다.**

- 갈색 지방 속에는 열을 많이 내는　　　　　가 많다.
- 신생아들은 추위에 몸을 떨 만큼 근육이 발달하지 못해서 갈색 지

  방에서 내는　　　　　　로 체온을 유지한다.
- 나이가 들면서 몸의 지방 중 갈색 지방의 비율이 점차　　　　　　　.

**2. 이 글과 <보기>를 참고하여 글쓴이가 다음과 같이 말한 까닭에 대
해 추론해 봅시다.**

　　몸을 움직이면 근육에서 백색 지방을 갈색 지방으로 만들어
주는 이리신 등 다양한 운동 호르몬이 나온다. 실제로 생쥐에게
6주 동안 매일 30분씩 트레드밀 운동을 하게 하고 2·4·6주 때
지방 세포의 변화를 살펴봤더니 운동 4주 후부터 백색 지방의
크기가 줄고, 갈색 지방이 나타났다.


　　"날씨가 춥다고 따뜻한 방 안에서 컴퓨터 게임만 할 것이 아니라
밖에 나가서 열심히 뛰어놀아야 할 충분한 이유가 되겠지요?"

# 나가며

　지금까지 여러 분야의 글을 함께 읽어 보았는데 어땠나요? 먼저 「보이는 것이 전부가 아니다」와 「자기 말만 모두 맞는다는 사람의 심리」를 통해서는 글에 나타난 정보를 다른 사례에 적용하고 활용하는 활동을 하며 글을 꼼꼼하게 읽었는지 확인해 보았습니다. 글에 쓰인 단어나 문장의 의미 등을 해석하며 글을 이해하는 것도 중요하기 때문이지요.

　하지만 글쓴이의 의도를 온전히 파악하기 위해서는 '추론'의 과정이 필요합니다. 그래서 「옷이 환경이랑 무슨 상관?」, 「피하고 싶은 '징크스', 해야만 하는 '루틴'」, 「토종 씨앗의 행방불명」, 「몸을 편히 눕힐 수 있는 공간」을 통해 글의 표현이나 소제목 등을 활용하여 글쓴이의 목적이나 관점, 이어질 글의 내용 등을 추론해 보았습니다.

　추론하며 읽기 위해서는 배경지식이 도움이 된다고 이야기했던 것 기억하나요? 「치킨: 세계인의 인기 단백질 공급원」, 「동네 쓰레기를 하루아침에 사라지게 하려면」, 「아이들은 어른보다 추위를 덜 탈까?」에서는 글의 내용과 관련된 배경지식을 활용하여 글에 언급되지 않은 내용이나 글쓴이의 의도를 추론하는 활동을 해 보았습니다.

　글에 담긴 의미를 파악한다는 것은 단순히 글의 내용을 그대로 받아들이는 것에 그치지 않습니다. 추론을 통해 글에 드러나지 않은 내용이나 주제 그리고 글쓴이의 의도 등을 알아내는 것이 진정한 '의미 파악'이라고 할 수 있지요. 그렇다면 추론하며 글을 읽으면 어떤 점이 좋을까요? 글에서 글쓴이가 전달하고자 하는 내용이 무엇인지 분명하게 알 수 있고, 글의 내용이나 상황을 더 깊이 이해하게 됩니다. 또한 추론하며 읽는 과정을 통해 적극적인 읽기 태도를 기를 수 있을 거예요. 앞으로 다른 글을 읽으면서도 적극적으로 추론해 보기를 바랍니다.

# 3부

# 수능 맛보기

## ※ 다음 글을 읽고 물음에 답하시오.

바코드는 물건 포장에 찍혀 있는 검은색과 흰색 줄무늬입니다. 점원이 '바코드 리더'라 불리는 레이저 판독기로 바코드를 찍으면, 검은색 줄은 빛을 흡수하고 흰색 줄은 빛을 반사해 판독기로 돌려보냅니다. 흰색 줄의 굵기에 따라 빛의 양이 달라지는데, 컴퓨터는 이 빛 신호를 이진법으로 해석하여 숫자로 판독합니다.

바코드가 제 기능을 하려면 판독한 숫자를 제품 정보로 해석해 줄 기계가 필요합니다. 이 기계가 바로 포스 단말기입니다. 포스(POS)는 원래 'Point of Sale'의 준말로, 식당이나 편의점 등의 매장에서 실시간으로 물건이 얼마나 팔렸는지, 재고는 얼마나 남았는지를 알려 주는 시스템이지요. 바코드에서 입력된 정보에 따라 물건의 종류, 가격 등의 정보를 표시해 줄 수 있지요.

바코드와 포스가 널리 사용된 것은 그리 오래되지 않았습니다. 바코드는 1952년에 특허를 받았는데, 1974년에야 실제로 쓰이기 시작했습니다. 포스 시스템은 1972년 미국에서 개발된 후 세계 곳곳으로 퍼졌지요. 다양한 시행착오를 거쳐야 했지만, 포스 시스템과 바코드는 각각 유통 혁명을 일으키고 있다는 평가를 받을 정도로 획기적인 시스템이었습니다. 그중에서도 핵심은 이런 기계들을 통해 고객들이 사는 물건의 데이터를 수집하고 분석하기 훨씬 쉬워졌다는 사실입니다.

## 1. 이 글을 요약한 내용으로 가장 적절한 것은?

① 바코드는 물건 포장에 찍힌 검은색과 흰색 줄무늬이다.

② 컴퓨터는 빛의 양을 이진법으로 해석하여 숫자로 판독한다.

③ 바코드와 포스는 판매 정보 수집과 분석을 편리하게 하였다.

④ 바코드와 포스 시스템은 1970년대에 쓰이기 시작해서 세계 곳곳으로 퍼졌다.

⑤ 포스는 물건이 얼마나 팔렸고, 재고는 얼마나 있는지 알려 주는 시스템이다.

**유형 분석**

　이 문제는 글의 전체 내용을 요약하는 유형입니다. 수능 비문학 문제에서 가장 처음에 등장할 수 있는 문제 유형이기도 하지요. 이런 문제를 풀 때는 글 전체의 내용을 포괄할 수 있는 핵심 문장을 찾아 선택하거나 자주 등장하는 핵심 단어를 찾아 표시하면서 읽는 것이 좋습니다. 그리고 그 핵심 단어를 사용하여 중심 문장을 재구성하면 쉽게 답을 찾을 수 있습니다.

**정답 해설**

　이 글의 첫째 문단은 물건을 살 때 찍는 '바코드'에 대해 설명하고 있습니다. 둘째 문단은 바코드를 해석하는 기계인 '포스'에 대한 정보를 제시하고 있습니다. 그리고 마지막 문단에서는 바코드와 포스가 유통 혁명을 일으키고 있다는 평가를 받을 정도로 획기적인 시스템이며, 물건의 데이터를 수집하고 분석하기 쉽게 만들었다고 설명하고 있습니다. 이를 바탕으로 각 문단의 핵심 단어와 내용을 모두 포괄할 수 있는 문장은 ③입니다. ①, ②는 첫째 문단, ④는 마지막 문단, ⑤는 둘째 문단의 내용만을 담고 있으므로 전체를 요약한 문장으로는 적절하지 않습니다.

아침형 인간과 저녁형 인간은 생체 시계의 바늘 차이로 나뉩니다. 생체 시계가 하루 24시간을 주기로 똑같이 작동하더라도, 아침형 인간은 그 주기가 적용되는 시간이 저녁형 인간보다 앞당겨져 있어요. 수면 유도 호르몬 멜라토닌을 예로 들어 설명해 볼까요? 해가 져서 우리 몸에 들어오는 빛이 줄어들면 몸속에서는 생체 시계가 작동해 멜라토닌이 분비됩니다. 그런데 아침형 인간은 저녁형 인간보다 멜라토닌이 3시간 정도 빠르게 분비돼 이른 저녁부터 피로를 느끼고 일찍 잠자리에 들게 돼요. 반면 저녁형 인간은 멜라토닌이 비교적 늦게 분비되기 때문에 늦은 밤까지 깨어 있을 수 있습니다. 이러한 각자의 생체 리듬은 환경적 요인의 영향을 받기도 하지만, 타고난 유전자의 영향이 결정적으로 작용한다고 해요.

**2. 이 글의 글쓴이가 전하고자 하는 핵심 내용을 요약한 것으로 가장 적절한 것은?**

① 각자의 생체 리듬은 환경적 영향을 크게 받는다.

② 아침형 인간과 저녁형 인간은 생체 시계의 차이로 나뉜다.

③ 해가 지면 몸속에서는 생체 시계가 작동해 멜라토닌이 분비된다.

④ 아침형 인간은 생체 시계의 주기가 적용되는 시간이 저녁형 인간보다 앞당겨져 있다.

⑤ 아침형 인간은 저녁형 인간보다 멜라토닌이 빠르게 분비돼 이른 저녁부터 피로를 느끼고 일찍 잠자리에 든다.

## 해설

### 유형 분석

수능에서는 글쓴이의 의도를 파악하는 문제가 자주 출제됩니다. 글에 직접적으로 드러나지 않은 내용을 찾는 추론 문제와 더불어, 제시된 내용 중 글쓴이가 궁극적으로 전하고자 하는 핵심 내용, 즉 주제를 찾는 문제도 자주 출제되지요. 이러한 문제를 풀기 위해서는 글의 전체 내용을 가장 잘 아우를 수 있는 중심 문장을 선택하며 읽는 것이 좋습니다.

### 정답 해설

정답은 ②입니다. 이 글은 아침형 인간과 저녁형 인간이 어떻게 나뉘는지를 설명하고 있습니다. 아침형 인간과 저녁형 인간은 부지런함의 문제가 아니라 생체 시계의 차이로 나뉘게 된다는 것이죠. 그리고 생체 시계가 어떻게 나뉘는지 구체적으로 설명하기 위해 수면 유도 호르몬인 멜라토닌을 예로 들어 설명하고 있네요. 우리는 앞에서 중심 문장을 선택하거나, 중심 문장을 뒷받침하는 문장을 삭제하는 것을 요약하기 방법으로 살펴보았지요. 그럼 어떤 문장을 선택하고, 어떤 문장을 삭제해야 할까요?

첫 문장(②) "아침형 인간과 저녁형 인간은 생체 시계의 바늘 차이로 나뉩니다."는 글이 설명하고자 하는 핵심을 담고 있는 중심 문장이니 우리는 이 문장을 선택해야 해요. 그렇다면 다음 문장(④) "생체 시계가 하루 24시간을 주기로 똑같이 작동하더라도, 아침형 인간은 그 주기가 적용되는 시간이 저녁형 인간보다 앞당겨져 있어요."는 어떤가요? 이 문장은 첫 문장을 보충 설명하고 있지요. 중심 문장을 보충 설명하는 문장이니 삭제할 수 있겠네요. 그다음으로 멜라토닌의 예를 들어 구체적으로 설명하는 문장(③, ⑤) 역시 삭제해야겠지요. 마지막으로, ①은 마지막 문장을 요약한 것이지만, "타고난 유전자의 영향이 결정적으로 작용한다."는 부분을 담고 있지 않아 적절하지 않습니다. 이렇게 우리는 선택과 삭제를 통해 글의 핵심을 찾아 요약할 수 있답니다.

## ※ 다음 글을 읽고 물음에 답하시오.

맑은 밤하늘을 보면 갑자기 하늘을 가르며 땅으로 떨어지는 별똥별을 볼 수 있다. 별똥별은 이름처럼 별의 똥에서 나온 게 아니다. 혜성이나 소행성에서 떨어져 나온 티끌이나 태양계 공간을 떠돌던 우주 먼지 등이 지구 중력에 붙잡혀 대기권으로 들어오면서 공기와 부딪혀 불타는 것이다. 별똥별은 하루에 약 2억 개가 떨어지는데 전체 질량만 10톤에 이른다. 맑은 날 밤하늘을 바라보고 있으면 별똥별을 1시간에 5~10개 볼 수 있으나 이는 계절이나 시각에 따라 다르다.

별똥별이 그렇게 많이 떨어지는데 왜 쉽게 눈에 보이지 않을까? 별똥별은 낮에는 태양의 밝은 빛 때문에 볼 수 없고 대부분 늦은 밤이나 새벽 시간에나 볼 수 있다. 또 총알보다 빠르게 움직여서 눈으로 볼 수 있는 시간은 길어야 2초에서 3초이고 대부분 1초 사이에 순식간에 떨어진다.

**3. <보기>는 이 글을 요약한 것이다. [A]에 들어갈 내용으로 가장 적절한 것은?**

〈보기〉

별똥별은 티끌이나 우주 먼지가 공기와 부딪혀 불타서 생기는 것으로 하루에 2억 개 정도 떨어진다. 하지만 낮에는 태양의 빛이 밝아서 늦은 밤이나 새벽에나 볼 수 있고, [A] 떨어지기 때문에 쉽게 보이지 않는다.

① 맑은 날       ② 순식간에

③ 공기와 부딪혀       ④ 계절마다 다르게

⑤ 10톤의 질량으로

## 해설

### 유형 분석

수능에서는 논리적으로 글의 내용을 요약할 수 있는지 물어보는 문제가 자주 출제됩니다. 글의 유형과 구조에 따라 글을 요약하는 것 외에도 논리적인 사고의 흐름에 따라 글을 요약할 수 있어야 해요. 예를 들어 글의 내용이 어떤 일이나 사건과 관련이 있다면, 사건이 발생한 원인과 결과를 중심으로 요약하면 문제를 쉽게 풀 수 있습니다.

### 정답 해설

정답은 ②입니다. 이 글의 첫 문단은 별똥별이 무엇인지를 설명하고 있습니다. 둘째 문단에서는 왜 별똥별을 쉽게 볼 수 없는지를 설명하고 있어요. 그리고 <보기>의 첫 문장은 이 글의 첫 문단을, 둘째 문장은 둘째 문단을 한 문장으로 요약한 것임을 알 수 있어요. 따라서 [A]를 찾기 위해서는 둘째 문단에서 별똥별을 쉽게 볼 수 없는 이유를 중심으로 요약하면 좋겠지요.

요약할 때에는 중요한 단어들을 조합해서 새롭게 재구성하면 된답니다. 문제를 풀 때는 '왜?'에 대한 답을 찾으며 푼다고 생각하면 쉽습니다. '별똥별은 자주 떨어지지만 보기 어렵다. 왜?'라는 질문에 '원인 1: 늦은 밤이나 새벽에만 볼 수 있기 때문이다.', ' 원인 2: 순식간에 떨어지기 때문이다.' 이런 방식으로 논리적인 사고에 따라 글의 내용을 정리하는 것이 요약하기의 시작이니 꼭 연습해 보세요.

## ※ 다음 글을 읽고 물음에 답하시오.

　고대 아테네에서는 재산을 가진 남자에게만 정치에 참여할 수 있는 시민권이 주어졌습니다. 중세 시대에 일어난 종교 개혁은 사람들에게 종교의 자유를 안겨 주었고, 프랑스 대혁명과 같은 시민 혁명으로 시민권이 확산되기도 했습니다. 인류의 역사 중 생존 자체의 심각한 문제를 보여 준 것은 전쟁이었습니다. 제2차 세계 대전 중 나치의 유대인 대학살과 핵무기의 폭발은 전 세계인을 충격에 빠뜨렸습니다.

　그 후, 1948년에 설립된 국제 연합(UN)은 인간의 기본적 권리로서 세계 인권 선언의 내용을 만들었습니다. 인권이 국가나 사회의 문제가 아니며, 온 인류가 협력해서 추구해야 할 과제라는 것을 알렸습니다. 국제 연합과 사람들의 노력으로 각 나라의 인권은 많이 향상되었습니다. 하지만 세계 인권 선언은 북한처럼 자기 나라 국민의 인권을 탄압할 경우 구체적으로 할 수 있는 일이 없기도 합니다. 그리고 아직도 세계 곳곳에는 전쟁으로 인해 많은 사람들이 기아와 질병으로 떠돌아다니고 있습니다.

　초기 인권은 국가가 국민을 간섭하지 않도록 요구하는 자유에 대한 권리가 중심이었습니다. 그리고 점차 사회적 약자들의 인간다운 삶을 위한 인권 또한 향상되었습니다. 오늘날에는 지속 가능한 지구를 만들기 위해 환경과 평화를 지켜 나가는 인권도 중요하게 여겨지고 있습니다.

　제2차 세계 대전이 일어나기 전까지 국민이 한 국가에서 어떤 대우를 받는지에 대해서 다른 나라는 관심을 갖지 않았습니다. 그러나 제2차 세계 대전 이후 전쟁을 일으킨 일본, 독일, 이탈리아 같은 국가들이 행하는 폭력과 살인은 많은 사람들에게 인간의 존엄성에 대한 국제적인 관심과 보호가 필요하다는 생각을 하게 했습니다. 이를 계기로 국제 연합은 세계 인권 선언을 만들었습니다. 그리고 이를 기념해 매년 12월 10일을 '세계 인권 선언일'로 정했습니다.

　세계 인권 선언은 인간의 자유와 권리가 모든 사람과 모든 장소에서 똑같이 적용된다는 것을 세계 최초로 인정한 선언입니다. 인간의 존엄성과 평등, 자유, 형제애가 가장 중요하며 이를 지켜 나가기 위해서는 인간의 끊임없는 노력이 따라야만 한다는 것을 알 수 있습니다.

**4. <보기>의 학생이 이 글을 요약한다면, 그 내용으로 가장 적절한 것은?**

─────── 〈보기〉 ───────

학생: 인권이 어떻게 변화해 왔는지를 중심으로 이 글을 한 문장에 담고 싶어.

① 세계 곳곳에는 전쟁으로 인해 많은 사람들이 기아와 질병으로 떠돌아다니고 있다.

② 인권은 국가나 사회의 문제가 아니며, 모든 인류가 협력해서 추구해야 할 과제이다.

③ 제2차 세계 대전 중 나치의 유대인 대학살과 핵무기의 폭발은 인류 생존의 문제를 보여 주었다.

④ 인권은 개인의 자유를 보장하는 권리에서 사회적 약자의 인간다운 삶을 위한 권리로 확대되었다.

⑤ 세계 인권 선언은 인간의 자유와 권리가 모든 사람과 모든 장소에서 똑같이 적용된다는 것을 세계 최초로 인정한 선언이다.

해설

## 유형 분석

이 문제는 목적에 따라 글의 핵심을 파악할 수 있는지 묻는 유형입니다. 수능에서는 종종 특정 정보를 찾아야 하는 문제 상황을 제시하고, 필요한 정보를 찾을 수 있는지 평가하는 문항이 출제됩니다. 이런 유형의 문제를 풀 때에는 읽기 목적이 무엇인지를 확인하고 그와 관련된 내용이 글 전체 중 어디에 제시되어 있는지를 찾는 것이 매우 효율적입니다.

## 정답 해설

<보기>를 보면, 글을 읽은 목적이 '인권의 변화에 대해 파악하는 것'임을 알 수 있습니다. 그렇다면 제시된 글에서 인권의 변화에 대한 내용을 어디에서 찾을 수 있는지 확인해 봅시다. 셋째 문단의 첫 문장을 보면 초기 인권은 국가가 국민을 간섭하지 않도록 요구하는 자유에 대한 권리가 중심이었다는 내용이 나와 있습니다. 넷째 문단에서는 국제적인 관심과 보호가 필요한 사람들을 위해 세계 인권 선언이 만들어졌다는 내용이 제시되어 있습니다. 이를 종합해 보면, 인권은 개인의 자유를 보장하기 위한 권리에서 사회적 약자의 인간다운 삶을 지켜 주기 위한 권리로 확대되었다는 ④가 가장 적절합니다. '국제적인 관심과 보호가 필요한 사람'을 '사회적 약자'라는 단어로 다르게 표현했다는 것을 유의하여 살펴봅시다.

**※ 다음 글을 읽고 물음에 답하시오.**

　캐나다 토론토에는 마이클 리친 크리스털 박물관이 있다. 이것은 로열 온타리오 박물관에 새로 증축된 건물이다. 외관을 보면 날카롭고 불안하다. 건물 외벽이 유리와 강철로 되어 있고, 옆으로 쓰러질 듯한 건물 모양으로 그 곁을 지나갈 때는 걸음이 빨라질 것 같다. 글로벌 여행 전문 인터넷 사이트 버추얼투어리스트는 2009년에 이 건물을 세계에서 가장 추한 건물 8위로 뽑았다. 새로 증축된 건물에는 세계 유명한 문화재들이 전시된다. 물론 한국 전시실도 있다. 사람들은 널찍한 실내 공간과 세계 여러 나라의 문화를 한눈에 볼 수 있다는 장점보다는 날카로운 외벽을 보면서 건물에 대한 반감을 갖게 되었다.

　우리는 곡선을 보면 부드러움과 편안함, 아름다움을 느끼고, 삐죽빼죽한 직선의 모양을 보면 딱딱하고, 차갑고 불안한 느낌이 든다. 인간은 자연과 어울려 진화해 오면서 자연환경과 친근할 때 평화로움을 느끼고, 이에 상반되는 것에는 혐오스러움을 느끼게 된 것이다. 우리가 건물을 지을 때, (　　　　　　　　　⊙　　　　　　　　　)

　대도시 한복판에 높이 서 있는 빌딩은 받아들일 수 있다. 그러나 깊은 산골에 우뚝 솟은 건물을 받아들일 수 있겠는가? 왠지 건물에 대한 미움이 생기지 않겠는가? 전국 방방곡곡 경치 좋은 곳에는 사람의 흔적이 여지없이 스며들었다. 사람들이 산자락을 파헤쳐 전원 주택지를 만들기도 하고, 각종 휴양지들이 산허리를 잘라 내고 우뚝 솟아 있다. 건물이 자연과 동떨어져 우뚝 솟은 모습을 보면 인간이 자연으로부터 소외되는 느낌이 든다. 가장 자연스러운 것이 가장 아름다우며, 가장 아름다운 것이 가장 자연스러운 것이다.

**5. 이 글의 흐름을 고려할 때 ㉠에 들어갈 내용으로 가장 적절한 것은?**

① 주변 환경과 얼마나 잘 어울리는지를 생각해야 한다.

② 특별하고 독특하여 눈에 잘 띄는 디자인을 생각해야 한다.

③ 건물의 외벽에 어떤 재료를 사용해야 할지 생각해야 한다.

④ 좋은 경치를 한눈에 감상할 수 있는 장소를 생각해야 한다.

⑤ 사람들이 이용할 수 있는 널찍한 내부 공간을 생각해야 한다.

## 해설

### 유형 분석

우리는 앞에서 글에 드러나지 않은 내용을 짐작하며 읽는 것을 '추론하며 읽기'라고 배웠습니다. 수능에서는 종종 글의 특정 부분이나 대상과 관련해 추론하는 문항이 출제되곤 합니다. 전체적인 글의 흐름을 점검하고, 글에 사용된 단어나 문장과 같은 정보를 활용하는 것은 이러한 유형의 문제를 해결하는 데에 도움이 된답니다. 이 문제는 글의 흐름을 파악하여 비어 있는 곳에 들어갈 글쓴이의 의도를 추론해 보는 유형입니다.

### 정답 해설

글쓴이는 자연스러운 모습에서 아름다움을 느낄 수 있다는 점을 강조하고 있습니다. 그렇다면 글쓴이의 관점에서 건물을 지을 때 가장 먼저 고려해야 하는 것은 무엇일까요? 정답은 바로 ①입니다. ㉠이 있는 둘째 문단에서 글쓴이는 인간이 자연환경과 친근할 때 평화로움을 느낀다고 말하고 있습니다. ㉠에 이어지는 마지막 문단에서는 자연스러움의 중요성을 말하고 있죠. 이러한 글의 흐름을 고려한다면 ㉠에는 우리가 건물을 지을 때에는 주변 환경과 얼마나 잘 어울리는지를 생각해야 한다는 내용이 들어가는 것이 가장 적절합니다.

첫 문단에서 소개된 마이클 리친 크리스털 박물관은 특별하고 독특한 외관을 지녔고, 널찍한 실내 공간을 가지고 있습니다. 하지만 글쓴이에게 긍정적인 평가를 받지 못하고 있네요. 따라서 ②와 ⑤는 빈칸에 들어갈 내용으로는 적절하지 않습니다. 또한 건물 외벽이 유리와 강철로 되어 있다는 언급이 있지만 글 전체적으로 건축 재료에 관한 서술은 보이지 않습니다. 따라서 ③도 적절하다고 보기 어렵습니다.

마지막 문단에서 글쓴이는 경치 좋은 곳에 세워진 건물에 대해 건물이 자연과 동떨어져 우뚝 솟은 모습이라며 부정적인 평가를 하고 있습니다. 따라서 ④도 적절하지 않습니다.

스포츠 심리학자에 따르면, 루틴은 선수가 최상의 컨디션으로 최대 능력을 낼 수 있는 상태를 만드는 데 반드시 필요하다. 바꿔 말해 루틴은 궁극적인 행동 목표를 위한 긍정적인 행동 습관이라고 할 수 있다.

루틴은 '징크스'라는 개념과 매우 유사하다. 징크스는 원래 좋지 않은 일이 운명적으로 일어나는 것을 말한다. 예컨대 경기 전에 수염을 깎았더니 패했다면 면도하는 행위 자체가 해당 선수에게는 징크스가 되고, 미역국을 먹은 당일에 경기장에서 미끄러지거나 넘어지면 미역국을 먹는 행위는 그 사람에게 징크스가 된다. 축구 경기에서 '골대를 맞추면 그날 이기지 못한다.'는 속설도 징크스에 해당한다.

스포츠 선수에게 징크스는 자신이 경험한 행동으로 인해 우연히 나쁜 결과가 초래됐을 때, 그것을 단순히 우연으로 여기지 않고 강력한 인과 관계가 있는 것으로 생각해서 과도하게 집착하는 행동이다. 그래서 경기에 패하지 않으려 면도를 하지 않고, 미끄러지지 않기 위해 미역국을 먹지 않으며, 골을 넣어 승리하기 위해 자신의 슛이 골대에 맞지 않기를 바란다. 즉 그들에게 면도, 미역국, 공이 골대에 맞는 일은 피하고 싶은 것이 된다.

루틴과 징크스에 집착하는 선수들의 태도는 모두 스포츠 경기에서 승리를 위한 몸부림이라는 점에서 동일하다. 그렇다면 이 둘은 어떤 차이가 있을까? 혹자는 루틴을 '긍정적 징크스'라고 부르기도 하는데, 루틴과 징크스는 유사하지만 다음과 같은 차이가 있다. 루틴은 긍정적 결과를 끌어내기 위해 '해야만' 하는 행동이고, 징크스는 나쁜 결과를 피하기 위해 '하지 말아야' 할 행동이다. 즉 루틴은 늘 하던 대로 하면 잘할 수 있다는 마음에서, 징크스는 나에게 해가 되는 결과를 피하고 싶은 마음에서 나온다.

## 6. 이 글과 <보기>를 바탕으로 추론한 내용으로 가장 적절한 것은?

> ─── 〈보기〉 ───
>
> 　2016년 리우데자네이루 올림픽 남자 펜싱 에페 결승전에서 우리나라의 박상영 선수는 세계 랭킹 3위의 헝가리 선수 제자 임레와 대결했다. 15점을 먼저 따야 이길 수 있는 경기에서 박상영 선수는 13 대 9로 크게 뒤처지고 있었고, 1분간의 휴식 시간을 가졌다. 이때 박 선수는 혼잣말로 "할 수 있다."를 되뇌는 모습을 보였고, 결국 5점을 연달아 획득하면서 극적으로 금메달을 거머쥐었다.

① 부정적인 결과로 이어진 징크스가 반복되면 루틴으로 바뀔 수도 있겠군.

② 박상영 선수가 경기 날 미역국을 먹고 출전했다면 금메달을 딸 수 없었겠군.

③ 루틴을 활용하는 것은 스포츠 선수가 아닌 일반인들에게는 도움이 되지 않겠군.

④ 박상영 선수가 "할 수 있다."를 되뇐 것은 일종의 긍정적인 징크스라 볼 수 있겠군.

⑤ 선수가 훈련할 때의 습관을 그대로 경기 전에 반복하는 것은 징크스에 해당하겠군.

## 유형 분석

앞서 우리는 글의 내용과 관련하여 자신이 이미 알고 있는 지식이나 경험, 즉 배경지식을 적극적으로 활용하는 것이 추론하며 읽기에 도움이 된다고 배웠습니다. 하지만 수능을 보는 모든 수험생이 같은 배경지식을 가지고 있지는 않지요. 그래서 수능에서는 <보기>를 통해 자료를 제시하고 이를 조건으로 답을 찾는 문제가 자주 출제된답니다.

## 정답 해설

<보기>에는 박상영 선수가 시합 중에 "할 수 있다."를 되뇌고 승리하는 모습이 나타나 있습니다. 이렇게 스스로 잘할 수 있다는 자신감을 불러일으키는 행위는 긍정적인 결과를 끌어내기 위한 '루틴' 혹은 '긍정적인 징크스'에 가깝다고 볼 수 있습니다. 따라서 ④가 적절한 추론 내용이 되겠네요.

①의 경우, 징크스와 루틴은 행동할 때의 마음가짐에 따라 구분할 수 있습니다. 따라서 나쁜 결과를 피하기 위한 행동인 징크스가 반복된다고 해서 긍정적 결과를 끌어내기 위한 행동인 루틴으로 바뀔 수 있다는 추론은 적절하지 않습니다.

②의 경우, 두 번째 문단에 소개된 미역국과 관련된 징크스는 '해당 선수'에게만 적용되는 지극히 개인적인 문제입니다. 따라서 박상영 선수가 미역국을 먹고 출전했다면 금메달을 딸 수 없었을 것이라는 추론은 적절하지 않습니다.

③의 경우, 첫 번째 문단에서 루틴이 스포츠 선수에게 도움이 된다고 밝히고 있습니다. 그런데 목표를 달성하기 위해 긍정적인 습관을 만드는 것이 스포츠 선수에게만 도움이 되는 것은 아니겠죠? 따라서 루틴은 일반인들에게도 긍정적인 효과가 있을 것이라고 충분히 추론할 수 있습니다.

⑤의 경우, 선수가 훈련할 때의 습관을 그대로 경기 전에 반복하는 것은 최상의 컨디션으로 최대의 능력을 낼 수 있는 상태를 만드는 것이므로 징크스가 아닌 루틴에 해당합니다.

※ 다음 글을 읽고 물음에 답하시오.

　사실 저는 자기 말만 맞는다고 우기는 일이 만연하고, 우기기 대왕들이 넘쳐난다면 그것은 개인의 문제라기보다 사회적 문제일 수 있다고 생각합니다. 자기 말이 틀릴 수 없다고 생각한다는 것은 다양한 가치를 인정하기 힘들다는 뜻입니다. 그리고 그런 사람들은 은연중에 답이 하나라고 생각하기 쉽습니다. 정답이 하나이니, 내가 생각한 답이 정답이면 남의 것은 오답일 수밖에 없습니다. 그러니 당연히 인정할 수 없겠지요.

　정답이 하나라고 생각하는 사람들의 특징을 보면 답은 의외로 간단한 데서 찾을 수 있습니다. 어렸을 때부터 그렇게 교육을 받은 것입니다. 한국인의 특징이라기보다는 한국 교육의 부작용 중 하나라고 보는 게 타당하겠지요. 그런데 교육은 그 시대의 보편적 요구를 반영합니다. 사회가 정답이 하나라고 생각하면, 교육도 그것을 따라갈 수밖에 없지요. 그러니 이 현상은 보다 근본적으로 뜯어보면 사회 문제라고 볼 수 있는 것입니다.

　답이 하나라고 생각하는 사람들은 비합리적인 신념을 가지고 있습니다. 그들은 답이 여러 개인 것을 견디지 못할 뿐 아니라 여러 개의 답을 생각하는 것도 고통스러워합니다. 이런 사람들을 가리켜 심리학자들은 '생각을 즐기지 않는 사람'이라고 말합니다. 빨리 답을 해야 보상을 받았던 사람이 자기 생각을 바꾸지 못하는 사람이 돼 버린 것이지요.

　심사숙고하고 고민에 빠지는 것을 싫어하는 사회적 분위기가 바뀌지 않는 이상 자기만 맞는다고 우기는 사람의 수를 줄이기는 어렵겠지요. 속도를 강조하고 '빠른 게 좋은 것'이라는 생각에 집착하는 사회 분위기를 바꾸지 않는 한 우리는 계속해서 이런 어려움 속에서 살아갈 수밖에 없습니다. '왜 저 사람은 맨날 우겨 댈까?'라는 내 주변의 문제로 출발했지만, 사실 우리 사회 전체의 문제는 아닌지 긴 시간을 두고 함께 고민해 보았으면 합니다.

**7. 이 글에서 추론한 내용으로 적절하지 않은 것은?**

① 다양한 가치를 존중하는 것은 한국인의 특징이라고 볼 수 있겠군.

② 정답이 하나라고 생각하는 사람들은 '생각을 즐기지 않는 사람'에 해당하겠군.

③ 글쓴이는 정답이 하나라고 생각하는 사회적 분위기를 부정적인 관점에서 보고 있군.

④ 다양한 생각을 나누는 교육은 우기는 일이 만연한 사회 문제를 해결하는 데 도움이 되겠군.

⑤ 우기기 대왕들은 빨리 답을 해야 보상을 받을 수 있는 환경에서 자랐을 가능성이 매우 높겠군.

## 해설

### 유형 분석

글의 내용을 추론하는 문제는 글의 내용을 이해했는지를 묻는 문제에 비해 조금 더 어려운 경우가 많습니다. 그래서 수능에서도 글에 제시된 정보를 있는 그대로 파악하고 이해했는지를 묻는 문제가 먼저 나오고, 다음으로 글쓴이의 의도와 목적, 숨겨진 주제나 생략된 내용 등 글에 분명하게 드러나 있지 않은 내용을 미루어 짐작하여 푸는 문제가 출제됩니다.

### 정답 해설

추론한 내용으로 적절하지 않은 것은 ①입니다. 글쓴이는 정답이 하나라고 생각하는 현상을 한국인의 특징이라기보다는 한국 교육의 부작용 중 하나라고 보는 게 타당하다고 둘째 문단에서 언급하고 있습니다. 따라서 자기 말만 맞다고 우기거나 다양한 가치를 존중하여 여러 개의 답을 인정하는 모습 모두 한국인의 특징이라고 추론하는 것은 적절하지 않습니다.

글쓴이는 우기기 대왕들이 은연중에 답이 하나라고 생각하기 쉽다고 말합니다. 그리고 이와 같은 사회 분위기가 한국 교육의 '부작용'이라고 이야기하죠. 이러한 단어를 통해 ③과 같이 글쓴이가 정답이 하나라고 생각하는 사회적 분위기를 부정적으로 바라보고 있음을 추론할 수 있습니다. 또한 우기는 일이 만연한 문제가 교육을 통해 발생한 만큼, ④와 같이 정답에 연연해하지 않고 다양한 생각을 나누는 교육이 우기는 일이 만연한 현상의 해결 방안이라고 생각할 수 있을 것입니다.

셋째 문단에서 글쓴이는 답이 하나라고 생각하는 사람들을 "생각을 즐기지 않는 사람", "빨리 답을 해야 보상을 받았던 사람"이라고 표현하고 있습니다. 이를 고려한다면 ②, ⑤도 충분히 추론할 수 있겠죠?

## ※ 다음 글을 읽고 물음에 답하시오.

'넛지'란 우리말로 '팔꿈치로 쿡쿡 찌르다.'라는 뜻입니다. 작은 자극으로 큰 변화를 일어나게 하는 넛지 효과는 많은 사람의 고정관념을 뛰어넘는 새로운 문제 해결 방법을 모색합니다. 넛지 효과가 인상적인 것은, 보편적으로 시행되는 강제적인 규제나 감시 대신에 자연스러운 참여를 유도해 사람들의 긍정적인 변화를 도모하기 때문입니다. 쓰레기가 상습적으로 버려지는 장소에 아름다운 화단을 조성함으로써 사람들이 스스로 쓰레기를 버리지 않도록 만드는 효과, 그것이 바로 넛지 효과입니다.

이와 같은 넛지 효과는 공익을 목적으로 하는 캠페인에서 그 효과를 더 크게 기대할 수 있습니다. 세계적인 환경 보호 단체 세계 자연 기금(WWF)에서는 줄어드는 숲을 지키기 위해 종이 절약 캠페인을 벌였습니다. 그 일환으로 낭비되는 화장지를 절약하기 위해 넛지 디자인을 가미한 창의적인 화장지 케이스를 선보였습니다.

이 화장지 케이스에는 지구의 허파로 불리는 아마존 일대 중심의 남미 지도가 그려져 있습니다. 그리고 아크릴판 너머로 초록색 화장지가 쌓여 있습니다. 그런데 이 화장지 케이스에서 화장지를 1장 1장 뽑아 쓸 때마다 마치 눈금처럼 화장지 높이가 사라집니다.

**8. 이 글의 화장지 케이스에 반영된 넛지 효과를 바르게 이해한 사람으로 알맞은 것은?**

① 민지: 사회적 약자들의 권리를 보호하는 것에 주목하고 있어.

② 수현: 화장지를 케이스에 넣을 생각을 하다니 정말 창의적이군.

③ 성진: 똑같은 메시지라도 비유적인 방식을 활용해야만 효과적이군.

④ 동욱: 강제적인 규제를 통해 문제를 해결한 적극적인 사례에 해당하겠군.

⑤ 효정: '숲이 사라진다.'는 메시지를 창의적으로 전달하여 화장지 절약을 유도하고 있군.

## 해설

### 유형 분석

수능 비문학 지문 중에는 개념을 설명하고 그 사례를 제시하는 경우가 많습니다. 그 경우, 개념을 명확히 이해하고 사례를 통해 그 개념이 적용된 과정을 추론하도록 유도하는 문제가 출제되곤 합니다. 이러한 문제를 풀어내기 위해서는 핵심 개념의 특성이 무엇인지 정확히 이해하고, 사례에서 그러한 특성이 어디에 드러나는지를 찾아보는 연습이 필요합니다.

### 정답 해설

'넛지 효과'라는 핵심 개념의 특성은 고정 관념을 뛰어넘는 새로운 문제 해결 방법을 모색하는 것입니다. 이 글에 나오는 '화장지 케이스' 사례에서는 평범한 화장지 케이스에 지도 모양 구멍을 뚫어 화장지의 남은 양을 볼 수 있도록 만든 디자인이 고정 관념을 뛰어넘는 창의적인 방법이라 할 수 있습니다. 그리고 이 방법을 통해 '숲이 사라진다.'라는 메시지를 비유적으로 전달하여 자연스럽게 화장지를 아껴 쓰자는 긍정적인 변화를 유도하고 있지요. 따라서 정답은 ⑤입니다.

①의 경우, 사회적 약자들의 권리를 보호하는 것은 넛지 효과의 주요 개념이 아닙니다. 또한 글에 제시된 "줄어드는 숲"을 사회적 약자로 보기도 어렵지요.

②의 경우, 화장지를 케이스에 넣은 것만으로는 고정 관념을 뛰어넘는 창의적인 사고를 했다고 보기 어렵습니다.

③의 경우, 넛지 효과에서 말하는 고정 관념을 뛰어넘는 것이 항상 비유적인 방식만으로 제한되는 것은 아닙니다. 일례로 첫 문단에서 소개된 쓰레기가 상습적으로 버려지는 장소에 아름다운 화단을 조성한 넛지 효과의 사례는 비유적인 방식을 활용했다고 볼 수 없답니다.

④의 경우, 화장지 케이스를 선보인 것은 강제적인 규제를 통해 문제를 해결한 사례가 아닙니다. 또한 강제적인 규제가 넛지 효과라는 개념과 연결되지도 않습니다.

# 지은이 소개

**박상국** 「장경판전의 과학적 구조」

불교 서지학자이자 동국대학교 석좌 교수. 『세계 최고의 금속 활자본 남명증
도가』, 『해인사 고려 대장경과 장경판전』 등을 썼다.

**하지현** 「짜증 나, 건드리지 마!」

정신 건강 의학과 전문의이자 건국대학교 의학 전문 대학원 교수. 『꾸준히, 오
래, 지치지 않고』, 『어른을 키우는 어른을 위한 심리학』, 『고민이 고민입니다』,
『감정 연습을 시작합니다』 등을 썼다.

**이창욱** 「계산대에서: 치열한 마케팅 전쟁이 벌어지는 곳」

『동아사이언스』 기자. 『한입에 쏙쏙 편의점 과학』 등을 썼다.

**목정민** 「꿀잠을 삽니다」

과학 전문 기자. 『과학이 지구를 구할 수 있나요?』, 『세상 모든 것이 과학이야!』
등을 썼다.

**정용주** 「인권의 개념」

초등 교사. 『교육학의 가장자리』, 『역사 속 인권 이야기』 등을 썼다.

**고현덕·김태일·최후남·홍준의** 「남극과 북극, 어떤 점에서 다를까?」
과학 교사. 『살아 있는 과학 교과서 1, 2』 등을 함께 썼다.

**전수경** 「부정적인 감정에 사로잡힌 나에게 가장 필요한 것은」
테라피엔스 심리 상담 연구소 원장. 『아동·청소년 상담을 위한 미술 치료 핸드북』을 함께 썼다.

**EBS 오디오 콘텐츠팀** 「별똥별은 과연 별일까?」
EBS의 오디오 교양 콘텐츠 전문 제작 팀. 『알면 똑똑해지는 과학 속 비하인드 스토리』를 비롯한 'EBS 알똑비' 시리즈를 썼다.

**최낙언** 「한국인은 왜 매운맛에 빠질까?」
식품 공학 연구자. 『감칠맛』, 『사과 향은 없다』, 『향의 언어』, 『식품의 가치』, 『최낙언의 커피 공부』 등을 썼다.

**정민** 「보이는 것이 전부가 아니다」
고전학자이자 한양대학교 국어 국문학과 교수. 『서학, 조선을 관통하다』, 『고전, 발견의 기쁨』, 『점검』, 『비슷한 것은 가짜다』, 『미쳐야 미친다』 등을 썼다.

**김경일** 「자기 말만 모두 맞는다는 사람의 심리」
인지 심리학자이자 아주대학교 심리학과 교수. 『김경일 교수의 심리학 수업』, 『마음의 지혜』, 『타인의 마음』, 『김경일의 지혜로운 인간 생활』, 『적정한 삶』 등을 썼다.

**이주은** 「옷이 환경이랑 무슨 상관?」

알맹상점 공동 대표. 『알맹이만 팔아요, 알맹상점』을 함께 썼다.

**공규택** 「피하고 싶은 '징크스', 해야만 하는 '루틴'」, 「동네 쓰레기를 하루아침에 사라지게 하려면」

국어 교사. 『생각이 크는 인문학: 스포츠』, 『BTS, 윤동주를 만나다』, 『경기장을 뛰쳐나온 인문학』, 『교과서에 나오지 않는 발칙한 생각들』 등을 썼다.

**박경화** 「토종 씨앗의 행방불명」

전 『작은 것이 아름답다』 기자. 『지구인의 도시 사용법』, 『지구를 살리는 기발한 생각 10』, 『여우와 토종 씨의 행방불명』, 『출발! 에너지 탐험』, 『고릴라는 핸드폰을 미워해』 등을 썼다.

**한현미** 「몸을 편히 눕힐 수 있는 공간」

국어 교사. 『교실 한구석에서 시작하는 학교 공간 혁신』, 『공간의 인문학』, 『더불어 읽기』 등을 썼다.

**이지선** 「치킨: 세계인의 인기 단백질 공급원」

전 신문 기자이자 작가. 『박쥐는 죄가 없다』, 『부자 나라, 가난한 세계』, 『101 평화』, 『모든 치킨은 옳을까?』 등을 함께 썼다.

**신인철** 「아이들은 어른보다 추위를 덜 탈까?」

한양대학교 생명 과학과 교수이자 만화가. 『인류는 대멸종을 피할 수 있을까?』, 『날로 먹는 분자 세포 생물학』, 『바이러스를 실험실에서 만들 수 있을까?』, 『세포 짠 DNA 쏙 북적북적 생명 과학 수업』 등을 썼다.

# 출처 및 수록 교과서 목록

## 1부 | 간추리고 정리하며: 요약

| 작품명 | 출처 | 수록 교과서 |
|---|---|---|
| 장경판전의 과학적 구조 | 박상국, 『해인사 고려 대장경과 장경판전』, 주니어김영사, 2019. | 천재(정호웅) |
| 짜증 나, 건드리지 마! | 하지현, 『감정 연습을 시작합니다』, 창비, 2022. | 미래엔(민병곤) |
| 계산대에서: 치열한 마케팅 전쟁이 벌어지는 곳 | 이창욱, 『한입에 쓱싹 편의점 과학』, 휴머니스트, 2022. | 창비교육 |
| 꿀잠을 삽니다 | 목정민·신방실, 『세상 모든 것이 과학이야!』, 북트리거, 2021. | 동아 |
| 인권의 개념 | 정용주, 『역사 속 인권 이야기』, 리잼, 2015. | 동아 |
| 남극과 북극, 어떤 점에서 다를까? | 고현덕·김태일·최후남·홍준의, 『살아 있는 과학 교과서 1』, 휴머니스트, 2011. | 미래엔(신유식) |
| 부정적인 감정에 사로잡힌 나에게 가장 필요한 것은 | 전수경, 『소년중앙 위클리』, 2021년 11월 22일 자. | 천재(노미숙) |
| 별똥별은 과연 별일까? | EBS 오디오 콘텐츠팀, 『알면 똑똑해지는 과학 속 비하인드 스토리』, EBS BOOKS, 2021. | 비상(박영민) |
| 한국인은 왜 매운맛에 빠질까? | 최낙언 외, 『미래를 읽다 과학 이슈 11 시즌 9』, 동아엠앤비, 2021. | 지학사 |

## 2부 | 숨은 의미 발견하기: 추론

| 작품명 | 출처 | 수록 교과서 |
|---|---|---|
| 보이는 것이 전부가 아니다 | 정민, 『정민 선생님이 들려주는 한시 이야기』 보림, 2003. | 천재(정호웅) |
| 자기 말만 모두 맞는다는 사람의 심리 | 김경일·사피엔스 스튜디오, 『타인의 마음』 샘터, 2022. | 창비교육 |
| 옷이 환경이랑 무슨 상관? | 『중학 독서평설』 2023년 1월 호, 지학사, 2023. | 지학사 |
| 피하고 싶은 '징크스', 해야만 하는 '루틴' | 공규택, 『경기장을 뛰쳐나온 인문학』 북트리거, 2019. | 천재(노미숙) |
| 토종 씨앗의 행방불명 | 박경화, 『여우와 토종 씨의 행방불명』 양철북, 2021. | 동아 |
| 몸을 편히 눕힐 수 있는 공간 | 한현미, 『공간의 인문학』, 맘에드림, 2018. | 비상(박영민) |
| 치킨: 세계인의 인기 단백질 공급원 | 구정은·오애리·이지선, 『모든 치킨은 옳을까?』 우리학교, 2021. | 해냄 |
| 동네 쓰레기를 하루아침에 사라지게 하려면 | 공규택, 『교과서에 나오지 않는 발칙한 생각들』 우리학교, 2014. | 비상(박현숙) |
| 아이들은 어른보다 추위를 덜 탈까? | 신인철, 『세포 짠 DNA 쏙 북적북적 생명 과학 수업』 나무를 심는 사람들, 2018. | 비상(박현숙) |

## 사진 출처

- 국가유산청 국가유산 포털(www.heritage.go.kr): 16쪽, 18쪽, 21쪽, 22쪽, 25쪽
- National Archives Catalog(catalog.archives.gov): 63쪽
- 나무위키(namu.wiki): 68쪽(©노윤탁)
- Wikimedia Commons: 81쪽(©ESO/S. Guisard), 131쪽(©celk19), 162쪽(©Gisling)
- 셔터스톡(www.shutterstock.com): 124쪽(©Ernest Rose)
- 세계 자연 기금(wwf.panda.org): 184쪽
- 국제 아동 인권 센터(incrc.org): 186쪽

# 활동 예시 답안

### 보이는 것이 전부가 아니다 109쪽

❶ 나비 떼, 차를 끓이는 연기

❷ 화가나 시인이 그림이나 글 속에 숨겨 둔 의미를 찾아낸다.

### 자기 말만 모두 맞는다는 사람의 심리 120쪽

❶ 자신과 성향이 다른 사람들을 만나 본다. / 나와 상대방의 비슷한 점을 찾아내 이야기한다.

❷ 소현의 생각을 인정해 주고, 소현과 같은 편이라는 인식을 심어 주기 위해 사소한 것이라도 취향이 같다는 것을 드러낸다.

### 옷이 환경이랑 무슨 상관? 128쪽

❶ 중고 거래를 활용하여 필요한 옷을 저렴하게 구입한다. / 가격이나 만족도 등을 꼼꼼히 따져 합리적으로 소비하는 자세를 지닌다.

❷ 미세 플라스틱 문제를 해결 및 예방할 수 있는 법안을 마련하자.

### 피하고 싶은 '징크스', 해야만 하는 '루틴' 137쪽

• 까닭: 요트 선수의 사례는 좋은 결과를 얻기 위해 '해야만' 하는 행동이기 때문에 루틴에 해당하고, '13일의 금요일'의 사례는 좋지 않은 일을 피하기 위해 '하지 말아야' 할 행동이기 때문에 징크스에 해당한다.

❷ 긍정적

### 토종 씨앗의 행방불명 148쪽

❶ 토종 볍씨, 개량종 씨앗, 유전자 변형 생물(GMO), 품종, 생물 다양성

❷ 다양했던 토종 종자에 관심을 기울여야 하는 까닭을 강조하고자 했다.

### 몸을 편히 눕힐 수 있는 공간 166쪽

❶ 창문, 외벽, 방문

❷ 아무런 대화 없이 각자 텔레비전이나 핸드폰을 보는 곳이 아니라, 가족들과 밥 먹고 이야기하며 소통할 수 있는 공간일 것이다.

### 치킨: 세계인의 인기 단백질 공급원 178쪽

❶ 상품, 품종 개량, 공장식 축산, 감염병

❷ 자연스러운 질병인 조류 인플루엔자가 문제가 된 것이 공장식 축산 때문임을 강조하기 위해서이다.

### 동네 쓰레기를 하루아침에 사라지게 하려면 186쪽

❶ ○, ○, ✕

❷ 주변과 구분되는 공간에 들어가고 싶어 하는 어린이의 심리를 활용해 어린이가 안전한 곳에서 신호를 기다릴 수 있도록 유도한다.

### 아이들은 어른보다 추위를 덜 탈까? 191쪽

❶ 미토콘드리아, 열, 줄어든다

❷ 몸의 온도를 차게 유지하거나 운동을 하면 같은 칼로리의 음식을 섭취해도 살이 적게 찌는 갈색 지방의 양을 늘릴 수 있기 때문이다.

# 국어 한 권: 중1 비문학

초판 1쇄 발행 2024년 11월 15일
초판 4쇄 발행 2025년 1월 27일

엮은이 • 김미성 신지연 오요한 전보영
펴낸이 • 황혜숙
편집 • 한아름
펴낸곳 • ㈜창비교육
등록 • 2014년 6월 20일 제2014-000183호
주소 • 04004 서울특별시 마포구 월드컵로12길 7
전화 • 1833-7247
팩스 • 영업 070-4838-4938 | 편집 02-6949-0953
홈페이지 • www.changbiedu.com
전자우편 • contents@changbi.com

ⓒ ㈜창비교육 2024
ISBN 979-11-6570-285-4  44810
ISBN 979-11-6570-283-0 (전 2권)